JN173721

ケイト・フォックス

イングリッシュネス

英国人のふるまいのルール

北條文緒・香川由紀子訳

みすず書房

WATCHING THE ENGLISH

The Hidden Rules of English Behaviour
Second Edition

by

Kate Fox

First published by Hodder & Stoughton Ltd, London, 2004

Japanese translagion rights arranged with
Kate Fox c/o Lucas Alexander Whitley Ltd, London acting in conjunction with
Intercontinental Literary Agency Ltd, London through
Tuttle-Mori Agency, Inc., Tokyo

イングリッシュネス　目次

日常生活の人類学　1

5　パブの作法　146

6　競　馬　172

日常生活の人類学

少量のブランデーのグラスを手に、わたしはパディントン駅の近くのパブに座っている。まだ午前一時、飲むには早すぎる時間だが、このブランデーは自分へのご褒美であり、同時に次の仕事に向かって気合を入れるためである。ご褒美というわけは、それまでの時間わざと（しかし偶然と見せかけて）人にぶつかり、「すみません」という人が何人いるか数えるという気骨の折れる実験を終えたから。気合を入れるのは、これから鉄道の駅に戻って、二、三時間を、行列に割りこむという大罪を犯すことに費やそうとしているからである。

できることならこんなことはやりたくない。いつものように調査の助手に頼んで、神聖な社会的ルールに反する行動をしてもらい、わたしはその結果を安全な地点から観察するという方法をとりたい。だが今回は勇気をふるって、自分が実験台になる決心をした。勇気が出るどころか、本当は怖い。わたしの腕は人にぶつかる実験で痣だらけだ。イングリッシュネスの探求という愚かな企画をここで投げ出し、家に帰ってお茶を飲み、普通の生活を送りたい。何よりも午後じゅう繰り返し列に割りこむのは嫌だ。

なぜわたしはこんなことをするのか？　人にぶつかったり割りこんだり（明日に予定している同じよ

うに滑稽な実験のことを言わないまでも）という馬鹿げた行為をおこなう意味がどこにあるのか？　というのはもっともな問いなので、説明をしておこう。

イングリッシュネスの「文法」

イギリス人は国民的アイデンティティを失った、「イギリス国民性」というようなものはもはや存在しない、と常々言われている。いわゆるアイデンティティ・クライシスを嘆く本が数多く書かれ、タイトルも『イギリスを受け継ぐ者はいるのか？』という悲観的なものから『イギリスへの挽歌』という切ないものまである。わたしはこの二〇年をイギリス文化とイギリス人の社会行動のさまざまな側面について、パブで、競馬場で、店で、ナイトクラブで、電車のなかで、路上で、人びとの家庭で、調査に費やした結果、「イギリス国民性」は存在すること、それが消滅したという説は非常な誇張であると確信するに至った。本書のための調査のなかで、わたしはイギリス人の行動を支配する不文律とも言うべき隠れたルールを見出し、それらが明らかにするイギリス人のアイデンティティを把握しようとした。

わたしの目的は、階級、年齢、性別、地域、サブカルチャー、その他の社会的区分の如何にかかわらず、イギリス人の行動に見られる共通項を把握することであった。たとえば婦人会〔ウィメンズ・インスティテュート〕のメンバーと、革ジャンを着たバイク乗りとは表面的には何も共通項はないように見える。だがうわべの違いという「民族誌学的幻惑」[1]を超えた先に目を向けると、婦人会のメンバーもバイク乗りも他のグループも皆、同じ不文律——イギリス人としてのアイデンティティと性格を規定しているルール——に沿って行動していることがわかる。ジョージ・オーウェルは、このアイデンティティが「継続しており、未来から過去へと脈々と流れ、生命のある個体におけると同様に持続する」と言ったが、わたしもそう考える。

言い換えれば、わたしの狙いはイギリス人の行動の「文法」を示すことである。母語話者で母語文法を説明できる者はめったにいない。同様に特定の文化の儀式、慣習、伝統に慣れ親しんでいる人間は、概してそうした事柄を明確に説明するために必要な、客観的立場に自分を置くことができない。そこに人類学者の出番がある。

ほとんどの人間は、社会の不文律に本能的に従い、そうしていることを意識しない。たとえば、朝には当然のこととして着替えるが、パジャマで勤めに出ることを禁じる不文律があることを意識することはない。だがそばに人類学者がいてあなたを観察していれば、質問を連発するだろう。「なぜ着替えるのですか?」「どうしてパジャマのまま仕事に行ってはいけない?」「ほかに着ていってはいけないものは?」「金曜日の服装が違うのはなぜ?」「会社の全員がそうするのですか?」「会社の上位の管理職がカジュアル・フライデーの慣習に従わないのはなぜですか?」などなど。しまいには相手は質問にうんざりする。すると人類学者はほかの人びと——同じ社会のなかの異なるグループの人びと——の観察と

1　わたしの父、人類学者ロビン・フォックスによる造語。集団間、文化間の高度に可視的な相違に目がくらんで、根底に存在する類似性に気がつかぬことを意味する。

聞き取りを始め、山ほどの詮索的質問と観察をしたあとで、ある文化における服装の「文法」を読み解く。

参与観察とその欠点

人類学者は「参与観察」として知られる研究方法を用いる訓練を受ける。「参与観察」とは、研究の対象である集団の生活と文化に参加して、その慣習や行動にたいする内部の人間の見方を体験し、同時に距離を置いて客観的に科学者としてそれを観察する方法である。少なくとも理論上はそうである。実際には、その方法は頭を叩きながらお腹をこするという子どものゲームをしばしば連想させる。人類学者は往々にして調査にのめりこみすぎる、つまり土着の文化に溶けこみすぎて科学者として必要な客観性を失うと批判されるが、おそらくそれは驚くにあたらない。そのようなバラ色がかった民族誌の、最も著名な例はマーガレット・ミードだが、エリザベス・マーシャル・トーマスもそうである。彼女は『無害な人びと』と題した本を書いたが、そこで扱われている部族はニューヨークやデトロイトよりも殺人発生率が高いことがのちに判明した。

参与観察という方法と参与観察者の任務をめぐって、人類学者たちは苦闘し、細かな議論を続けている。以前に書いた『競馬族』という本のなかで、わたしはそのことを揶揄し、心理療法用語を借用して、彼らの葛藤を、内なる参加者と内なる観察者のあいだに進行中のバトルとして描き、競馬族の名誉会員としてのわたしの任務と、客観的観察者としての任務とのあいだに葛藤が生じるたびに、ふたつの内なる声が引き起こすはしたない口論を記録した。（この問題が論じられるさいの厳粛な真剣さを思えば、わたしの軽さは除名に値した。だから大学のある講義担当者から、参与観察という方法を教えるために『競馬族』を使用しているという手紙が届いたときには驚愕し、わけもなく腹を立てた。異端的偶像破壊者たらんとして書いたものが、教科書に使われたのだから。）

より一般的な、少なくとも昨今よく目にするやり方は、著書ないし博士論文のなかの一章を割いて、参与観察にともなう倫理的かつ方法論的困難について、苦悩と自責に満ちた考察を述べることである。「参与」の意味は、「土着民の」視点から文化を理解することに尽きるのだが、著者はたっぷり三ページを使って、無意識的な自民族中心主義や他のさまざまな障害のために、そうした理解が不可能であることを語らずにはいられない。次に「観察」の道徳的基盤に疑問を呈し、（決まりごととして）あらゆるものを解釈する手段としての近代の西欧的「科学」の妥当性にかんして、深刻な留保を表明するのが慣習である。

この時点で、不慣れな読者は当然、道徳的に問題があり、信頼できないような調査方法をなぜ用いるのか、と不思議に思うだろう。わたし自身不思議だったが、やがてわかってきたのは、参与観察の悪や危険についてのこうした嘆きは一種の防御的呪文で、狩猟や木の伐採に出かけるにさいして、自分たちが殺す動物や伐り倒す木の霊を慰撫するために、アメリカ原住民が唱える謝罪と悲嘆のようなものだということだった。もっと意地悪な見方をするならば、人類学者の儀式的な自己批判は、自分の調査の欠陥から批判をそらすためのずるい先制攻撃ともとれるだろう。利己的で誠意のない恋人が「ああ、ぼくは卑劣な野郎さ。どうしてきみがぼくのような男に我慢できるのだろうね」というようなもので、自分の欠点を率直に認めるのは、欠点がないのと同じくらい立派なのだという信念によりかかっている。あるいはオスカー・ワイルドを引用するなら「自責は安楽をもたらす。自分を責めるとき、われわれは他の人間には自分を責める権利はない、と思うからだ」

しかし意識的であるか否かを問わず、また動機が何であれ、参与観察者の任務について儀式的に苦悩する文章はげんなりするほど退屈である。だからわたしは、どのような免罪が得られるにせよ、それを放棄して、参与観察に限界があるにしても、「参加」と「観察」との不安定な結合が、現段階では文化の複雑さを探求するための最上の方法なのだと言おう。

良い、悪い、しっくりしない

わたしの場合、研究対象としてわたし自身の文化の複雑性を選んだので、「参与」の困難はいくらか少ない。イギリス文化それ自体が他の文化よりおもしろいと思ったゆえの選択ではなく、わたしは臆病で、勇気のある同業者たちが研究する「部族」社会につきものの、泥で作った小屋や赤痢、毒をもつ昆虫、ひどい食べ物、原始的衛生状態などが苦手なのだ。

民族誌学というマッチョな分野で、わたしのように不快を避け下水設備の整った文化をわけもなく好むのは、許しがたく軟弱だとみなされる。そこでわたしは埋め合わせとして、最近までイギリス人の生活のなかの、あまり健康的ではない部分を研究しようと思い、暴力が横行するパブ、いかがわしいナイトクラブ、さびれた賭け屋などで調査をおこなった。だが数年間を喧嘩、無秩序、暴力など、不愉快な場所で時を選ばずに起こるさまざまなかたちの異常行動や機能不全を研究したあとでも、もっと劣悪な環境に慣れている民族誌学者のあいだで、わたしへの評価はまったく上がらなかった。

そんなふうに野外調査の試みが不調に終わったあと、わたしは自分が本当に興味をもてるテーマ、すなわち「良い行動の原因」に関心を向けてもいいのではないかと考えた。これは魅力的な研究分野だが、かなり近年までまったくといってよいほど社会科学者に無視されていた。注目すべき僅かな例外があるにせよ、社会科学者たちは、望ましいものではなく、うまく機能していないものに熱中する傾向があり、彼らの全精力を傾けて、われわれが推奨したい行動ではなく、われわれが防ぎたい行動の原因を研究してきた。

社会問題調査センター（ＳＩＲＣ）でわたしと共同で所長を務めたピーター・マーシュもまた、社会科学が困難な問題のみを扱う傾向に幻滅と不満を感じていた。そこでわれわれは可能なかぎり、人間関係のポジティブな面を研究することに決めた。この新しい目論見によって、もはや暴力的なパブを探し出す必要もなくなり、快適なパブで時を過ごせるようになった。（こうしたパブは見つけやすいという利点もあった。大多数のパブは居心地がよく、トラブルと無縁なので）。警備員や店内保安係にインタビューをして万引きや狼藉を調査するかわりに、普通の、法を守る市民が買物をするのを観察できるようになった。ナイトクラブで、喧嘩ではなく色恋の調査をした。競馬場にいる人びとのあいだの、並外れて社交的で礼儀正しいやりとりに気づいたことが発端で、三年がかりで競馬の常連たちの良い行動を促す要因を調べることになった。他の、主として「ポジティブな」調査項目のなかには、祝賀、インタネット上のデート、夏の休暇、美とボディ・イメージ、社会的絆、困惑、会社による接待、愛国心、車とドライバー、母性、閉経、リスク、泣くこと、携帯電話、オンラインソーシャルメディア、性、ゴシップ、匂いの心理学、お茶、DIYなどがある（DIYは「平均的イギリス人がひとつ棚を作るのに何杯のお茶を必要とするか」というような白熱する社会問題を含んでいる）。

わたしの研究生活はこのようにイギリス社会の暗い面と明るいポジティブな面の調査研究にほぼ二分され、同時に世界の他の地域を関連させた異文化間比較研究をともなっていた。したがって、かなりバランスのとれた枠組みを踏まえて、この本のための調査に着手したと言えよう。

わたしの家族、および他の実験用モルモット

イギリス人というわたしの立場は、参与観察の「参与」の部分にかんしては有利である。だが「観察」にかんしてはどうだろうか？　わたしは距離を置いて、客観的科学者として自分自身の文化を観察できるだろうか？　実際には、比較的馴染みのないサブカルチャーの研究に多くの時間を費やしたとはいえ、依然「自分の国の人びと」のサブカルチャーだから、民族誌学者のあと半分の観察者として、自分の客観的観察力を疑ってみる必要はあると思われた。

このことで長く悩むことはなかった。どう見てもわたしには、「形成期」（五歳から一六歳まで）を外国で過ごしたという利点があった。そのうえ、友人、同僚、出版者、エージェントらが言うように、わたしが同国人の行動を仔細に分析し始めたのは、この一〇年のことである。しかも（彼らが言うには）、

白衣の科学者がシャーレの細胞をピンセットでつまむときのように冷静にそれをした。加えてわたしの家族が言うには、高名な人類学者である父親のロビン・フォックスは、わたしが赤ん坊だったころから、観察力を養う訓練を課していた。乳母車やベッドに寝かされて、天井やぶら下がった動物のモビールを眺めるかわりに、わたしはコチティ族の板型のベビーキャリーにくくりつけられて家のなかの観察に適した地点に置かれ、イギリス人学者の家庭の典型的行動パターンを見守った。

父は、科学的客観性にかんして完璧なロールモデルでもあった。母が第一子であるわたしを身ごもって、父にそれを告げると、彼はすぐさまチンパンジーの赤ん坊を手に入れて一緒に育て、類人猿と人間との発達を比較するケーススタディをしたいと母を説得にかかった。母親は断固として聞き入れず、後年父のエキセントリックな、およそ親に似つかわしくない態度のひとつの例としてわたしに話したが、わたしは母の意図がわからず「わあ、すてき！　そうしたら超おもしろかったんじゃない？」と答えた。「お父さんにそっくり」と母はそのときも言ったが、わたしは、その意味がわからず褒められたのだと思った。

信用して。わたしは人類学者です

わたしたち家族がイギリスを離れ、やや変わったわたしの教育が、アメリカ、アイルランド、フランスの行き当たりばったりの学校で始まったころには、父はチンパンジーの実験が実現しなかった失望を克服して、そのかわりにわたしを民族誌学者にするための訓練を始めていた。わたしはまだ五歳だったが、父はそのハンデを考慮しなかった。わたしの背丈は父の学生たちに及ばなかったが、それでも民族誌学の研究方法の基本原則を把握できるはず、と父は考えたようである。わたしが学んだ最も重要な基本のひとつがルールの探求だった。馴染みの薄い文化に遭遇したときには、その文化の人びとの行動のなかに一貫したパターンを探し、その行動パターンを支配する隠れた法則——慣習や集団的了解事項——を見つけだすこと。

やがてこのルールの探求は、ほとんど無意識の行為——反射、ないし長らくこの反射に苦しむ仲間のことばによれば、病的衝動——となる。たとえば数年前わたしのフィアンセ（現在では夫）のヘンリーがわたしを同伴してポーランドの友人たちを訪ねたことがあった。イギリス車を運転していたので、彼は助手席のわたしに、安全に追い越しができるときを教えるように言った。ポーランド国境を越えて二〇分以内に、二車線の道路で車がこちらに向かって来るときでさえ、「さあ、抜いて。今なら大丈夫」とわたしは言うようになった。

二度急ブレーキをかけ、ぎりぎりで追い越しを思いとどまったあと、彼は明らかにわたしの判断に疑問をもちはじめた。「何を見てるんだ？　危ないところだったじゃないか。あのでかいトラックが見えないのかい？」

「見えてる」わたしは答えた。「でもこの国じゃルールが違う。どう見ても暗黙の了解があって、広い二車線道路は実際には三車線です。前にいる車も、こっちに向かってくる車も脇に寄って通してくれる」

わたしがポーランドに来たのは初めてで、着いてから半時間もたっていないのに、どうしてそんなに確信がもてるのか？　とヘンリーは尋ねた。運転している人たちをじっと観察していれば、彼らのルールがはっきり見えてくる、というわたしの返答を彼が納得したようではなかった。「信用して。わたしは人類学者です」とつけ加えても変わりはなく、わたしの説を試すように彼を説得するには時間がかかった。だがようやくやってみると、前の車も対向車も紅海のように左右に分かれ、わたしたちのために第三の車線を作ってくれた。そのあと訪問先の家の主人は、そうやって車線を作るという非公式の作法が確かに存在することを認めた。[2]

わたしは得意だったが、主人の妹の話にいささか水をさされた。彼女によれば、ポーランド人は無鉄砲で危険な運転をすることで知られているということだった。わたしがもっと注意深く観察をしていたら、交通事故で亡くなった人びとの遺族が、事故のあとに立てた十字架や花が道路わきに点在することに気がついたかもしれなかった。ヘンリーは寛大にも人類学者があてにならないことを口にしなかったが、どうしてわたしがポーランド人の慣習を観察し分析するだけで満足しないのか、と訊いた。きみはどうして、そこに**参加**して、自分と同乗しているぼくの命を危険にさらすようなことをするのか？　と。

その欲求は、幾分かは内なる参与者の衝動から生まれているとわたしは答えたが、一見無謀に見えるふるまいにもある方法論があるのだと強調した。人びとのふるまいにある規則性やパターンを見て、そ

2　その後聞いた話では、彼らの第三車線の作法がイギリスには存在しないことに気づかなかったために、二、三人のポーランド人がイギリスにおいて交通事故で負傷・死亡したという。

こに含まれた不文律を暫定的に把握すると、民族誌学者はそのようなルールの存在を確認するための「テスト」をする。人びとのなかから代表的グループを作り、彼らの行動パターンについての自分の観察を話し、自分が正しくルール、慣習、原則を把握しているかと問うこともあれば、仮説的ルールを破棄して反証を求めることも、積極的な「認可」を求めることもある。ポーランドにおける第三車線のルールのような場合には、そのルールに従って、うまくゆくかどうかを見ることが「テスト」になる。

退屈だが重要

この本が対象とする読者は社会科学者ではなく、出版者がかつて「知的素人」と呼んでいた、捉えにくい人びとである。しかし、だからといって、わたしの非学術的アプローチが不明確な思考、不正確なことば、用語のあいまいさの口実として用いられてはならない。これはイングリッシュネスの諸「ルール」を論じた本であるが、「ルール」ということばについての共通理解が読者のなかにあると想定することはできないので、わたしがどのような意味で「ルール」ということばを使っているか、説明しておきたい。

『オックスフォード英語辞典』が認めている四つの定義に基づいて、わたしは「ルール」をやや緩やかに解釈している。すなわち、

- 個々人の行動を支配している原則、規則ないし金言
- 識別や評価の基準、標準、判断基準、尺度
- 模範的人間ないし物、指標となる模範
- 一般によいとされている事実ないし事実の記述、物ごとの正常で普通の状態

このように、イングリッシュネスのルールを明らかにするわたしの試みは、行動にかんする特定のルールにかぎらず、基準、規範、理想、指導原理、そして「正常で普通の」イギリス人のふるまいについての「事実」を含んでいる。

この最後のものは、「普通イギリス人はXの傾向がある（あるいはYを好む、Zは好まない）」と言うときの「普通」という意味においてのルールである。このように「ルール」ということばを使うとき――ここが大事な点だが――わたしが意味するのは、イギリス人が常に変わらず特定の特徴を示すということではなく、その特徴が注目に値する、ないし重要だと認識されるほど一般的だということである。実際どのようにルールを定義するにせよ、それを破り得ることが、社会的ルールの基本的条件である。この種の行動のルール（言い換えれば基準、原則）は科学的・数学的法則のように、物ごとの必然的状態ではなく、その定義からわかるように不確定である。たとえば列に割りこむということがおよそ想定外の、不可能な行為であったならば、列に割りこむのを禁じるルールの必要はない。[3]

したがってイングリッシュネスの不文律ということばは、イギリス社会の全員がそのようなルールに従っているとか、例外や逸脱が一切見られないという意味に解されるべきではない。それは馬鹿げてい

る。わたしが言いたいのは、そのようなルールが「正常で普通」であり、イギリス国民性を理解し定義するうえで役立つということにすぎない。

例外や逸脱がルールの存在を「証明する」(「テストする」という本来の意味において)ことがしばしばある。逸脱が喚起する驚きや怒りが、ルールの規定する行為の重要性と「正常性」を示すからである。イングリッシュネスは消滅したと早まって主張する識者たちは、イングリッシュネスの伝統的ルールへの違反(たとえばサッカーやクリケットでのスポーツマンらしからぬふるまい)をその証拠として挙げるが、そのような違反にたいする人びとの反応は無視している。その反応は、違反が異常で、非イギリス的で許されないということを示しているのだ。

文化の性質

ルールを把握することが、イングリッシュネスの「文法」という構築物への最も直接的な道である。それでイングリシュネスの分析を試みるこの本ではルールが中心になる。だがわたしが「ルール」ということばを非常に広い意味で使っている以上、イングリッシュネスのルールの探求は、事実上イギリス文化を理解し定義する試みにつながる。そこで「文化」の定義も必要になる。「文化」ということばでわたしが意味するのは、ある社会ないし社会的グループの行動パターン、慣習、生き方、思想、信仰、価値観の総計である。これは「国民性」と重なる。そんなものは存在しないと主張する人びとは、「国民性」とは比喩で、「文化」を語るさいの口語的表現であることを見落としている。「文化」が存在し、文化間には相違が見られることを否定する人はいないだろう。

とはいえ、イギリス文化が同質性をもつ不変の実在で、行動のパターンや慣習、信念等々にバリエーションが見られないというのではない。イギリス人が皆「イングリッシュネス」のルールに従っているわけではもちろんない。ルールと同様に、イギリス文化内部には多くのバリエーションと多様性が存在する。にもかかわらず、イングリッシュネスを定義するうえで役立つところの、ある共通のコア、基本的パターンが見出されるだろうというのがわたしの立場である。

同時に異文化間の「民族誌学的眩惑」つまりイギリス文化と他の文化の共通性が見えない状態に陥るという危険も存在している。「国民性」の定義に熱中するあまり、特定の文化の特徴のみに気をとられて、われわれは人間という同じ種に属していることを忘れることがある。[4] 幸いなことに、高名な数人の

3　事実、想定外ではないにしても、普通ではなく「不自然」でさえある行為を禁じるルールは存在する。たとえばロビン・フォックスの近親相姦タブーにかんする著作を参照のこと。「それはおこなわれていない」という事実が（「いない」から「なかれ」）は論理的に導き出せないと主張する哲学者たちの主張にもかかわらず）「汝おこなうなかれ」という禁止令として成文化されている。しかしこれらはこの本が扱う特定の文化にかかわるルールというよりも、普遍的なルールであることが多い。

4　『イギリス人　彼らは人間か？』という一九三一年版のおもしろい本がある。予想されるようにタイトルは誇張的である。オランダ人著者G・J・レニエは「世界には二種類の人類——人類とイギリス人——が住んでいる、という結論に達した」

人類学者が、「文化に共通する普遍的特性」――すべての人間社会に見られる慣習、風習、信念――のリストを示してくれており、それがこの罠からわれわれを救い出すに違いない。厳密にどの風習（等々）がこのカテゴリーに含まれるかについては、意見の不一致も見られる。（が、かつて何かをめぐって学者たちの意見が一致したことがあっただろうか？）たとえばロビン・フォックスは、以下のリストを示している。[5]

財産にかんする法律、近親相姦と結婚にかんする規定、タブーとその回避、最少の流血で争いをおさめる方法、超自然的存在への信仰とそれに関連する風習、社会的地位のシステムとそれを示す方法、若い男性の加入儀式、女性崇拝を含む求愛の慣習、象徴的な装身具のシステム、女を排除しておこなう男性の活動、何らかの賭博、道具と武器の製造業、神話と伝説、舞踊、姦通とさまざまな殺人、自殺、同性愛、統合失調症、精神病、ノイローゼ、さまざまな治療者。

わたし自身が既存のすべての文化に詳しいわけではないので、このようなリストは、この本が特別に焦点を当てているのが、たとえばイギリスの階級組織の特徴や独自性であることを確認するのに役立つ。すべての文化に「社会的地位のシステムとそれを示す方法」がある以上、イギリスに階級組織があることは特記する必要がない。これは明らかなことだが、見逃されがちであり同時に多くの著者が、イギリス文化のある特色（たとえばアルコールを暴力と結びつける傾向）[6]はすべての人間社会に共通する特色だと誤解している。

ルール作り

右のリストには、暗黙裡に含まれているにせよ、重大な項目が抜けている。[7] それは「ルール作り」である。人類はひたすらルールを作る。あらゆる人間の行為は、食や性という生理機能も含めて、いつ、どこで、誰と、どんなふうにその行為をおこなえばよいかを指示する複雑なルールや規定に囲まれている。動物は行為をおこなうだけだが、人間は行為について謳い踊る。それが「文明」である。

5　そのような「普遍的特性」が人間性のなかに固く組み込まれたものか否かについても、かなり意見が分かれている。だがここでは、イングリッシュネスの議論と直接かかわりのない問題だという理由でそれに触れずにおく。わたし自身には、先天性か後天性かという議論全体がやや無意味に思える。レヴィ＝ストロースが指摘するように、人間の知性は二項対立（黒／白　左／右　男／女　彼ら／われわれ　自然／文化）の枠で考えることを好み、この議論もそうである。なぜそのような思考をするのかは別問題だが、この二項対立思考は人間のあらゆる制度や慣習に浸透している。

6　ヘーゲルは見逃していない。「国の精神は（……）特殊なかたちをとった普遍的精神である」という彼のことばは問題の本質を捉えている。（ヘーゲルは必ずしも明解ではないので、わたしの解釈が正しければの話だが。）

7　実際にはふたつ抜けている。ふたつ目は「ムードないし意識に変化をもたらす物質またはプロセスの活用」である。

文化によってルールは変わるが、ルールは常に存在している。異なる社会で異なる食べ物が禁止されているが、どの社会にも食べ物をめぐるタブーがある。何事にもルールがある。リストにおいて、ルールが明示的・暗示的に言及されていないすべての慣習は、そのあとに「……についてのルール」ということばが隠れていると思えばよい（贈答についてのルール、ヘアスタイルについてのルール、ダンス、挨拶、もてなし、ジョーク、乳離れについてのルールというように）。わたしがルールに照準を合わせるのは、個人的な気まぐれではなく、人間の精神のなかでルール作りがいかに重要であるかを認めているからである。

ある文化と他の文化を区別するさいの主要な手段は、ルールの違いである。旅行や出張で海外に出かけるとき、われわれがまず気づくのは、他の文化には「物ごとをおこなう違うやり方」があるということだが、それは普通、その文化のルール――たとえば食べ物、食事時間、衣服、挨拶、衛生、商売、もてなし、ジョーク、地位の差異などについてのルール――が自分の文化のルールとは違うということなのだ。

グローバリゼーションとトライバリゼーション〔部族化〕

これは必然的にグローバリゼーションという問題につながる。この本のための調査の過程でしばしば受けた質問は、イングリッシュネスを――あるいは他のどの国にせよ、そのアイデンティティを――論じることにどんな意味があるのか、というものだった。アメリカ文化帝国主義の容赦ない伝播によって、国民性などという視点はすでに過去のものなのではないか。すでに世界はマクドナルドが支配する均質化された沈黙の空間となり、多様性と際立った個性をもつ文化は、ナイキ、コカコーラ、マクドナルド、ディズニーなどの多国籍資本主義の巨人たちの、すべてを食いつくす消費文化によって抹殺されつつあるではないか。

そうだろうか？　反サッチャー世代の、『ガーディアン』〔イギリスの一般向け新聞、編集方針は中道左派〕の読者である、リベラル左派の、かなり典型的な人間として、わたしは当然大企業の帝国主義者に好感はもっていないが、社会的文化的趨勢の専門的観察者として、大企業帝国主義の影響は誇張されている、というより誤った解釈を与えられていると指摘せざるを得ない。わたしの知るかぎり、グローバリゼーションの主たる結果は、ナショナリズムやトライバリズムの増大である。世界のいたるところで、独立、権限の移譲、民族自決を求める動きが高まり、民族性と文化的アイデンティティへの関心の復活が見られる。イギリスも例外ではない。

確かに「結果」ではないだろう。科学者の常識として、相互関係は因果関係ではない。だが、百歩譲っても、こうした民族性への動きとグローバリゼーションとが同時に起こっていることは顕著な事実である。いたるところで人びとがナイキのトレーナーを着用し、コカコーラを飲んでいるからといって、自分たちの文化的アイデンティティへの熾烈な関心が薄まるわけではない。事実、多くの者たちが、自分の国、宗教、領土、文化、何であれ「部族的」アイデンティティのなかで、危機に瀕しているものを守るために戦い死ぬ覚悟でいる。

アメリカ大企業は確かに圧倒的な、有害でさえある影響力をもっているかもしれない。だがその文化的衝撃は、おそらく彼ら、また彼らの敵対者が考えているほど強くはない。われわれのなかに深く植えつけられた部族的本能と、諸国家が文化的小単位へとますます細分化されてゆくさまを見れば、世界の七〇億の人びとが単一文化の巨大集団になるというのは馬鹿げた話である。グローバリゼーションの広がりは疑いなく、それに巻きこまれた文化に変化をもたらしているが、そもそも文化自体が静止しているものではなく、変化は必ずしも伝統的な価値を消滅させない。実際インタネットのようなグローバルなメディアは伝統的な文化を展開するうえで有効な手段であった。反グローバリゼーション活動家のグローバルなサブカルチャーにとっても同様である。

イギリスでは、アメリカ文化の明らかな影響にもかかわらず、文化的多様性の減少よりも増大するトライバリゼーションを示す証拠がはるかに多い。スコットランドやウェールズの民族主義者たちの熱情と迫力は、アメリカのソフトドリンク、ジャンクフード、映画から、これといった影響を受けているようには見えない。イギリスにおける民族的マイノリティの人びとは、以前よりも懸命に自分たちの文化的アイデンティティを保持しようとしているし、イギリス人でさえ、(彼ら特有の抑制のあるやり方で)自分たちの文化的「アイデンティティ・クライシス」を言い立てている。イギリスでは地方主義が強く根づいており、グローバルな単一文化の一部であることを拒否するのはもちろん、イギリスがヨーロッパの一部だというコンセプトにもかなりの抵抗がある。

こういうわけで、わたしはイングリッシュネスを把握しようという試みを、個別の文化は間もなく絶滅するというグローバリゼーションの警告を前に、取り下げる必要を認めない。

階級と民族

まだ構想の段階にあったとき、この本の話をした誰もから、階級についての章を設けるのかという質問を受けた。わたしは一貫してそのための独立した章は不適切だと感じていた。階級はイギリス人の生活と文化のあらゆる側面に浸透しており、それゆえこの本が取りあげるあらゆる領域にかかわっているからである。

イギリスは高度に階級意識に支配された国だが、イギリス人が階級について考え、階級構造のなかでの位置を決定しようとするときの実態は、単純な三層構造モデル（上流、中産、下層）、あるいは全面的に世論調査員とマーケット・リサーチの専門家が好む、職業に基づいた、抽象的なアルファベットのシステム（A、B、C_1、C_2、D、E）〔一四三頁、訳注を参照〕ともほとんど関係がない[8]。学校の教師と不動産業者は理論上はともに「中産階級」に属し、両者ともテラスハウスに住み、同じ車種に乗り、同じパブで飲み、年収もほぼ同じかもしれない。だが階級はもっと微妙で複雑な仕方で決められる。テラスハウ

8　社会学者ピエール・ブルデューの経済的、社会的、文化的資本という概念は、イギリスの階級組織を理解するうえでより有効である。ただし各階級と関連するそれぞれのタイプの資本の細かな性格にかんして、非常に限定的であるかぎりにおいて有効である。

スの内装や装飾の仕方に、車種だけではなく、日曜日にその車を自分で洗うか、洗車場にもってゆくか、天気をあてにして雨に泥を洗い流してもらうかに、それはかかっている。何を、どこで、どのようにして誰と飲食をしたか、どこで、どのような買物をするか、どんな衣服を着用し、どんなペットを飼っているか、余暇をどのように過ごすか、とりわけどのようなことばを使い、それらをどう発音するか、などの細かい点が決め手となる。

すべてのイギリス人は（認めようと認めまいと）このような判断のさいの微妙かつ微細な差異を意識しており、それらにたいして非常に敏感である。であるからイギリスの階級やその特徴にかんして粗雑な「分類」を示すことはせず、そのかわりに、上に述べたようなさまざまな事柄についての、イギリス人の微妙な階級観を伝えようと思う。家、庭、車、衣服、ペット、食べ物、ドリンク、セックス、トーク、趣味などに触れることなく階級を語るのは不可能である。また逆にイギリス人の生活の諸相に潜むルールを探れば必ず大きな階級指標に行きあたるか、それほど明白ではない小さな指標に出会う。したがって、階級的境界線は、期せずしてそこに足を踏み入れたときに扱うことにしたい。

同時に階級的差異によって「幻惑」されないようにしたい。オーウェルが言ったように「そのような違いはふたりのイギリス人がひとりのヨーロッパ人に向きあう瞬間に消え」「金持ちと貧乏人の差さえ、イギリスという国を外側から眺めるときには縮小する」。自ら「部外者」を自任する者——職業的エイリアンと言ってもよいが——としてイングリッシュネスを定義するというわたしの任務は、表面の違いを強調するのではなく、その根底にある共通項を探ることである。

民族という問題も、友人や同業者の誰もから提起された。これは階級よりもむつかしい問題である。

わたしが自分の研究の対象を「ブリティッシュ」（スコットランド、ウェールズ、アイルランドを含むイギリス人）あるいは「UK」（グレートブリテンおよび北アイルランド連合王国）の人びとというよりも、「イングリッシュ」（イングランド人）に限定したことによって、民族の問題を都合よく回避したと知ると、彼らは一様に一歩踏みこんで、アジア人[9]、アフロ‐カリビアンをはじめ他の民族的マイノリティがわたしのイングリッシュネスの定義のなかに含まれるのかどうかと訊いた。

この問いには数通りの答えがある。その一、民族的マイノリティは定義からして、イングリッシュネスを把握するどの試みにも含まれている。移民が受入国の文化や風習に順応し、それを取り入れ、逆にそれに影響を及ぼす度合いは、ことにそれが何世紀にもわたるとき、複雑な問題である。それに関連する研究は、もっぱら「順応」と「採用」（普通「文化受容」とか「文化的同化」ということばでひとまとめにされている）に焦点を合わせ、同様に興味ある問題である「影響」は看過されがちである。これはおかしい。短期の旅行者が訪問先の土地の文化に深い影響を及ぼすが――事実、その社会的プロセスはそれ自体では流行りの学問分野となっている――どういうわけか、研究者たちは移民のマイノリティ文化が彼らの住みついた国の行動パターン、風習、考え方、信仰、価値観に影響を及ぼすプロセスにはそれほど関心がないように思われる。民族的マイノリティはイギリスの約一〇パーセントにすぎないが、イギリス文化の諸相に彼らが与えた影響はかなりのものであったし、現在もそうである。この本が試み

9　この本をとおして、「アジア人」ということばは、イギリス的な意味で、おおまかにインド出身の人間という意味で使われている。

ているような、イギリス人の行動のどのような「スナップ写真」も不可避的にこの影響に彩られている。アジア人、アフリカ人、カリブ人のなかで、自分たちを「イングリッシュ」（彼らのほとんどはより包括的とみなされている「ブリティッシュ」ということばで呼ぶ）だと思うのはごく僅かだろうが[10]、彼らは明らかにイングリッシュネスの「文法」に寄与してきた。

第二の答えは「文化受容」という、より馴染み深い領域に関連している。ここではマイノリティ文化全体というよりグループや個人のレベルへと視点が移動する。簡単に言えば――たぶん簡単すぎる言い方だろうが――いくつかの民族的マイノリティの集団や個人は、他の集団や個人よりも、イギリス的だということである。つまり、選択あるいは環境によって、または両方によって、それらの集団と個人は受入国の習慣、価値観、行動パターンを他の集団や個人よりも多く受け入れてきた。（これは第二、第三、およびそれ以降の世代においてはより複雑な様相を呈する。受入国の文化が少なくともある程度は、彼らの祖先の影響を受けているからである。）

このように考えると、問題はもはや民族の問題ではない。あるマイノリティ集団と個人が、他よりもより「イギリス的」だという場合、無論皮膚の色や出身国ではなく、彼らの行動やマナーや習慣に見られる「イングリッシュネス」の度合いが問題である。同じことが白人の「アングロサクソン」集団についても当てはまるだろう。

事実われわれは度合いを問題にする。あるグループ、個人、時には個人のある反応や特有の癖を指して「とてもイギリス的」とか「いかにもイギリス的」と言うことがある。「ある点ではわたしは非常にイギリス的だが、他の点では違う」とか「その点ではあなたのほうがわたしよりイギリス的」と言うとき、イングリッシュネスの度合いについての了解が存在している。このような表現が日常的に使われているという事実は、「部分的な」、時には「断片的な」イギリスらしさ、時にはイギリスらしさの「いいとこ取り」についての、明らかな概念がわれわれのなかに存在している証拠である。われわれは皆、少なくともある範囲までは、自分のイングリシュネスの度合いを「選ぶ」ことができることを誰しも了解している。わたしが言いたいのは、こういうコンセプトは民族的マイノリティにも同様に当てはまるということである。

実際イングリッシュネスは、この国の民族的マイノリティにとって、それ以外の人びととの場合よりも選択の問題だといっても過言ではない。イギリスに生まれ幼年期に他国の文化にじかに触れるという経験をしなかった者は、イングリッシュネスのいくつかの要素が深く埋めこまれているので、それをふり捨てることで楽になる場合でさえ、そうすることができない（わたしの場合で言うと、列に割りこむ実験のような野外調査のさいにそれを痛感する）。移民はもっと自由に取捨選択して、イギリス的ふるま

10　しかし調査用紙の欄に印をつける場合とは対照的に、実生活の会話のなかでは民族的マイノリティの背景をもつ人びとが、スコットランドやウェールズの話題になると、イギリス人を「われわれ」と言い、スコットランド人やウェールズ人を「彼ら」と言う傾向が見られた。こんなふうに「われわれ」という現象は、質問を受けたさいに、自分たちは「ブリティッシュ」で「イングリッシュ」ではないと主張するであろう人びとのあいだでさえ、普通に見られた。多くの民族的マイノリティとしての「地域主義者」つまりアングロサクソンの隣人同様に、自分たちを「ブリティッシュ」というより「リヴァプール人」「バーミンガム人」「マンチェスター人」だと認識している人びとは、ここに含まれていない。

いのなかの馬鹿げたものは避けつつ、より好ましいものは取り入れることができるという利点をもっている。

わたし自身、そのような文化的「いいとこ取り」の経験をもっている。わたしの家族は、わたしが五歳のときアメリカに移り、そこで六年間暮らしたが、そのあいだじゅう、わたしは美的快感がないという理由で、アメリカ的アクセントに少しでも染まることを断固拒否した（「耳障りね」と当時のわたしは言った。なんと生意気にとり澄ましていたことか）。にもかかわらずアメリカ文化の他の側面には喜んで順応した。青年期には四年間フランスの田舎で過ごした。そしてその地方の公立学校に通い、話し方もふるまいもマナーも、ブリアンソンのティーンエイジャーたちと見分けがつかぬほどになった。違うのは、わたしにとってこれは選択の問題で、学校から帰宅したときには、母の気に障るようなフランスっぽさを要領よく脱ぎ捨てられる――あるいは母の気に障るようにわざとそれを誇張でき（ティーンエイジャーのこういうふるまいは普遍的である）イギリスに戻ったときには、そこで好まれないような部分は捨て去ることができる――と知っていたことだった。

もちろん移民は好むなら「土着化」でき、イギリスへの移民のなかには、「イギリス人よりもイギリス人らしく」なった人びとがいる。友人のなかで、わたしがただちに「非常にイギリス人的」だと思い浮かべるひとりは、インドの移民の第一世代、もうひとりはポーランド難民の第一世代である。どちらの場合も、彼らのイングリッシュネスは最初は意識的な選択であった。それがやがて第二の天性となったが、彼らは今なお、無意識にすべてを受け入れているイギリス人にはできないやり方で、一歩下がって自分の行動を分析し、自分が守るようになったルールを説明することができる。

レバノン人と結婚し、レバノンに（アメリカから）移住して、そこで一五年暮らしたわたしの妹も同じ経験をした。彼女のベッカー高原の家族と隣人たちにとっては、彼女はすばやく完全に「文化受容を遂げた」レバノンの田舎の主婦だったが、言語を切りかえるのと同じ容易さで、イギリスふう（またアメリカふう、一〇代のフランスふう）に戻ることができ、話している途中でそれをした。彼女の子どもたちはイングリッシュネスをいくらか留めたアメリカ系アラブ人だが、母親と同じくその場に応じて言語、マナー、習慣をうまく切りかえる。

文化受容について論じる人の多くが、この選択という要素を過小評価する傾向がある。移民が経るプロセスはしばしば、「支配的な」文化が知らぬあいだに受動的なマイノリティに一方的に押しつけられるという観点から描かれ、移民の個々人が無意識的に、故意に、巧みに、時には揶揄的に、受入国の文化の行動や習慣のなかから取捨選択をしているという現象に注目しなかった。確かにある程度の文化受容ないしイギリス的流儀への文化的順応が往々にして移民に「要求」、あるいは事実上「強制」されており、（征服者や侵略者でないかぎり、これはどんな受入国の文化についても言えることではあるが）特定の要求の妥当性は吟味されるべきである。だがわたしが言いたいのは、そのような要求への順応は依然として意識的なプロセスであり、文化受容についての議論が時に暗示するような洗脳の一種とは違うということである。

わたしがこのプロセスを納得する唯一の根拠は、この国のすべての移民が、フランスに移住した当時のわたしくらいに利口で、わたしくらいに自由意志を発揮し、それがいかに不合理で不当であろうと、移住先の国の文化に順応しつつ、一方では自分の文化的アイデンティティを保持できると思うからである。わたしは計算しつくしたうえで、自分のフランス的な部分を微妙に強めたり弱めたりすることができた。わたしの妹は、自分のアラブ人らしさを選び観察する。わたしの移民の友人たちは彼らのイギリス人らしさにかんして同じことができる。彼らがそうするのは、時には孤立を避けるという実際的な目的のためだが、単にそれを楽しんでいる場合もある。おそらく文化受容の熱心な研究者たちは、彼らの「研究対象」が事態を手中におさめていて、イギリス人以上にイギリス文化を理解し、多くの場合腹のなかでイギリス人を笑っていることを認めたくないのだろう。

以上からすでに明らかなように、わたしはイングリッシュネスに特別の価値を置き、それを他の国の文化より重視しているわけではない。ある移民が他よりもイギリス人らしいとしても、(悪評高い「クリケット・テスト*」を唱えたノーマン・テビットとは違って)そのような個人がそうでない個人よりも優れているとか、彼らの権利や地位が、それほどイギリス文化に同化していない人びとと区別されるべきであるなどとは、わたしは思わない。また、十分な時間と努力によって、誰もがイングリッシュネスを「習得」し「身につける」ことが可能だとしても、皆がそうするべきだとは思わない。

移民と民族的マイノリティがどの程度イギリス文化に順応するべきか、は議論を呼ぶ問題である。昔のイギリス植民地からの移民にかんするかぎり、彼らに求める文化受容の度合いは、イギリス人が招かれざる住民として彼らの文化のなかで示した度合いに釣合う程度にすべきである。あらゆる国民のなかで、歴史的に見てイギリス人ほど、移民先の国のマナーや習慣に順応することの重要さを説く資格のない国民はいない。これにかんしてイギリス人の残した記録はひどいものである。集団で移住した先がどこであろうと、イギリス人は島国的なイングリッシュネスという孤立地帯を作るのみか、自分たちの文化の規範や習慣を土着の人びとに押しつけようとする。

しかしこの本の仕事は叙述することで、指示することではない。わたしの関心は、イングリッシュネスを欠点も含めてありのままに理解することである。自分の研究対象である部族が、そのメンバーや隣人にどのような態度をとるべきかを教えたり、説いたりするのは人類学者の仕事ではない。それについて意見がないわけではないが、それはイングリッシュネスのルールを見出そうという試みにはさしずめ関係がない。時には自分の意見を述べてしまうかもしれないが、意見と観察とははっきりと区別するつもりである。

ブリティッシュネスとイングリッシュネス

この場を借りて、(a)いまだに自分をブリティッシュだとみなし、(b)この本がなぜブリティッシュネスではなくイングリッシュネスを扱うのか、疑問に思っている、スコットランド、ウェールズ(さらに言えば北アイルランド)[11]の方々にお詫びをしておきたい。(断っておくが、わたしの念頭にあるのは、そこで生まれ育った正真正銘のスコットランド人、ウェールズ人、アイルランド人であって、わた

* イギリスのクリケット・チームよりも自国チームを応援する移民はイギリスへの忠誠心が足りないとする判定法。

しの場合もそうだが、自分のなかにウェールズ人、スコットランド人、アイルランド人の血が少し混じっていることを、都合のいいときには自慢するようなイングランド人ではない。）

なぜイングランド人か？　答えはわたしがブリティシュネスというよりイングリッシュネスについて調査した結果を書いているからである。それは幾分かは

● まったく怠慢のため。

● イングランドはひとつの国家で、当然他国とは違う、まとまりのある文化ないし国民性を有することが予想されるが、ブリテンは、それぞれ独自の文化をもつ数個の国家から成る純然たる政治的構築物である。

● それらの文化には共通部分も多いが、それらは明らかに同一ではなく、「ブリティッシュネス」とひとまとめにして扱うべきではない。

● 加えて「ブリティッシュネス」がわたしには無意味なことばに思われる。「ブリティッシュネス」と言うとき、その真意はほとんど常に「イングリッシュネス」であって、際立ってウェールズ人、スコットランド人である人間はそこに含まれていない[12]。

わたしにはひとつの文化を把握する時間とエネルギーしかないので、自分の文化であるイギリス文化を選んだ次第である。

以上述べた内容には、探せばいろいろな穴があり、国家そのものがかなり人工的な構築物だという主

張はその最たるものだろうし、コーンワルの民族主義者やイングランドの他の地域の熱烈な地域主義者は、自分たちには固有のアイデンティティがあり、他のイングランド人とひとくくりにしてほしくない、と言うだろう。

問題はすべての国家に多くの地域があり、そのそれぞれが自分の地域が他とは異なっていて、より優れていると考えることである。これはフランス、イタリア、アメリカ合衆国、ロシア、メキシコ、スペイン、スコットランド、オーストラリアをはじめ、どの国についても言える。サンクトペテルブルクの人びとはモスクワの人びとがまるで異人種であるかのように言い、アメリカの東海岸と中東部の人びとは互いを異星人だと意識し、同様のことがトスカーナとナポリ、北メキシコと南メキシコなどにも当てはまる。メルボルンとシドニーのような都市同士でさえ、互いをまったく違う性格をもつ都市だとみなしている。エディンバラとグラスゴーは言うまでもないだろう。地域主義はとくにイギリスにかぎった現象ではない。しかしながら、上に挙げた例において、きわめて特徴的な諸都市や諸地域の人びとは、

11　確かに厳密には、北アイルランドは「グレートブリテン及び北アイルランド連合王国」の一部で、ブリテンの一部ではない。だがわたしが北アイルランドの人びとから受け取った手紙には、彼らが自分たちをブリティッシュとみなし、「連合王国」という枠のなかに入れられることをよしとしない旨が述べられていた。

12　要点を述べるにあたってわたしが軽薄にすぎ、配慮を欠いていると思う読者のために言うと、社会学者クリシャン・クマーは『イギリスの国民的アイデンティティの形成』のなかで、基本的に同じ主張を、（彼の場合、怠惰というわたしの言い訳は当てはまらないが）より説得力のある仕方でずっと丁寧に述べている。高名な政治学者・市民権活動家バーナード・クリック卿も同様である。

それぞれの差にもかかわらず、イタリア人、アメリカ人、ロシア人、スコットランド人と認識できる共通性をもっている。わたしの関心はその共通性にある。

ステレオタイプと文化的ゲノム

「では普通のステレオタイプ〔固定したイメージ〕を越えたものを目指しているのですね」これが、イングリッシュネスについて本を書いていると話したときの人びとのもうひとつの反応であった。このコメントには、その定義からしてステレオタイプは「本当の姿」ではなく、どのように越えるにせよ、真実はステレオタイプとは別のところにあるという想定が反映されている。これはやや妙なことに思われる。というのも「真実の全体像、これより他はないという姿」ではないとしても、イギリス人のステレオタイプには少なくともなにがしかの真実が含まれていると考えるのは当然だからである。ステレオタイプは何もないところから出現したのではなく、何かから発芽し生育したに違いない。国民性にかんする大部分のステレオタイプは当該国の一般の人びとに広く受け入れられ、熱心に「支持」されてきた。だからといって「本当の姿」に近づくことはないが、少なくともある文化の自己イメージについて、つまりその文化の信念や価値観について、何らかのことを伝える。

したがって、冒頭の質問にたいしては、ステレオタイプの内側に入りこむつもりです、と答えることにしている。ステレオタイプを特定して追及するのではなく、先入観を排したアプローチをしたい。そして調査研究の結果、イギリス人のある行動パターンが既存のステレオタイプと呼応している場合には、それをシャーレに乗せて顕微鏡の下に置き、解剖してほぐし、その構成要素にさまざまな試験をしてDNAを明らかにしたあと、いくばくかの真実を把握するまで放置して考えをめぐらす。

本来の科学者が実際に実験室でおこなう作業との違いはもとより、おそらく比喩にも混乱があるだろうが、基本のところはわかってもらえるだろう。ほとんどの物ごとは、それを顕微鏡の下に置くと違って見えてくる。確かにイギリス的「遠慮」「礼儀正しさ」「謙虚」「天候の話」「フーリガン」「偽善」「プライバシー」「反知性主義」「行列」「妥協」「フェアプレイ」「ユーモア」「階級意識」「常軌の逸脱」「寛容」などなどのステレオタイプは、必ずしも表に見える姿ではなかった。それらは皆、裸眼では見えない、ルールや決まりの複雑な層をもっており、どれひとつとして直截的な留保なしの「真実」ではなかった。にもかかわらず、そのなかのあるものは最終的に、多くの留保や経緯を経て「決め手となる国民性」のリストに残った。

何人かのパーソナリティ心理学者〔人格心理学者〕は、それがパーソナリティの五つの要素の総計との関連を示していないという理由で、国民性のステレオタイプは「真実に反する」ことを立証しようと多大の時間を費やしてきた。たとえば「遠慮深い」とされるイギリス人はパーソナリティ調査のアンケートで「外向性」で高得点である。いわゆる「イギリス的遠慮」は、粗雑なステレオタイプが暗示する以上に複雑で流動的で状況に依存する（研究者たちは便宜的に無視しているが、その対極のよく知られた「イギリス的フーリガン」の騒々しい外向的ステレオタイプも同様である）が、その一方で、それは個人のパーソナリティとはかかわりのないルール、規範、習慣、行動の決まりから成り立つ文化的「文法」の一部でもある。実生活で、ほとんどの人は、個人のパーソナリティ如何にかかわらず、無意識的に彼らの文化の規範に従っている。「国民性」ということばはメタファーであって、文字通りにとられるべきではない。文化は個人を大きくしたものではなく、個々人の得点の総計として把握、定義すべきものではない。もっとも「ハンマーしかもたない人間にはすべてが釘に見える」。だからこの集合的パーソナリティ論の主たる論者がパーソナリティにかんするアンケートの作成者であるのは偶然ではあるまい。

同じように怪しげなわたしのDNAの比喩に深入りするのはやめて、イングリッシュネスを探るわたしの試みをもうひとつのやり方で説明するなら、それはイギリス文化のゲノムを順番に配列して、イギリス人をイギリス人たらしめている「文化コード」を明らかにすることだと言えよう。イギリス文化のゲノムを配列する——それは大がかりな、真剣で野心的で立派に科学的なプロジェクトに聞こえる。出版者との当初の契約期間の三倍以上はゆうにかかる（ことにひと休みのお茶の時間も含めれば）仕事である。

冗談はさておき、イギリス国民性を解明するさいにわたしが用いた半科学的方法を説明しておくべきだろう。それには三つの段階があった。

- まず、さまざまな調査方法（観察、参与観察、インタビュー、グループ・ディスカッション、国家的規模の調査、約二年間にわたる野外実験など）を用い、イギリス人の行動のなかの際立ったパターンないし規則性を把握しようと試みた。

- 次にそのような行動のパターンを支配している不文律を見出し、可能な場合には主として野外実験、ディスカッション、インタビューを使って、その不文律を「吟味」ないし「証明」しようとした。
- 最後に、それらの不文律が語るイングリッシュネスを明確にしようとした。

以下のそれぞれの章は、イギリス人の生活の諸相にかんする行動パターン（と、ある場合にはそれを発見した経緯）を述べている。各章の末尾の短いまとめは要約ではない。この本は教科書ではないから、読み終わった部分を要約するのは読者の知能を侮ることになろう。この部分はその章で突きとめたルールを逐一検証し、それらのルールから「決め手となるイギリス国民性」をあぶりだそうとしている。

こうしてルールごとに、章ごとに、順序を踏んで進めるにつれて、イギリス人の生活と行動を支配する不文律から浮かびあがったのは、多くの同じ特徴——同じ集団的価値観、同じものの見方、同じ無意識的反応——であった。その結果最後にはわたしの求める「決め手となる特徴」を明確に把握できた。

この本には意図的に、この解明のプロセスを書いた。それがより誠実で、透明なやり方だと思われたからである。学校の数学の試験で、単に最終的な答えを書くのではなく、答えに至るプロセスを示せと求められるのと同様である。であるから、もし読者が本書の最後で、「イングリッシュネスとは何か？」というわたしの問いへの答えが間違っていると思うならば、前に戻ってどこでわたしが間違えたのか、突きとめることができよう。

1 天候

イギリス人の会話が天候から始まるように、彼らの会話についての考察も天候から始めなければならない。こうして伝統的アプローチを踏襲する以上は、イングリッシュネスを論じたすべての著者がするように、わたしもジョンソン博士の有名なことば「イギリス人ふたりが出会うとき、彼らの最初の話題は天候である」を引用し、これは二百年後の現在でも、ぴったり当てはまると言っておきたい。[1]

だがほとんどのコメンテーターはここでやめるか、イギリス人がかくも天候に「取り憑かれている」理由について納得のゆく説明をしようと試みるか（そしてうまくゆかないか）のどちらかである。うまくゆかないのは、彼らの前提が間違っているからである。つまり天候をめぐるわれわれイギリス人の会話が文字通り天候についての会話で、言い換えればイギリス人は天気に敏感（病的に敏感）だから天気の話をするのだ、とするところに誤りがある。そう誤解する人びとは、イギリスの天候のどこがそんなにドラマティックなのかを突きとめようとする。

たとえばビル・ブライソンはイギリスの天候には全然おもしろいところがなく、だからイギリス人が天気の話ばかりするのは理解できない、と書いている。「部外者にとって、イギリスの天候の最も特徴的な点は、天候と呼べるようなものがあまりない、ということだ。予測不可能性や危険というような、自然のドラマティックな現象——トルネード、モンスーン、荒れ狂うブリザード、命がけで脱出する嵐——はイギリスではまったく見られない」

ジェレミー・パックスマンは、イギリス人には珍しく自国の肩をもって、ブライソンのコメントに異議を唱え、イギリスの天候は魅力を秘めていると主張する。

> ブライソンは的はずれなことを言っている。イギリス人が天気の話に執着するのは、天候のもたらす大げさな現象とはかかわりがない。イギリスの田園風景のように、イギリスの気候は大部分、淡々とドラマティックなのだ。おもしろいのは天候の現象自体ではなく、その**変わりやすさ**である。（中略）イギリスにかんして、揺るがぬ確信をもって言える数少ないことのひとつは、イギリスには**多くの**天候が存在するということで、そのなかに熱帯のサイクロンは含まれていないにせよ、海と大陸の縁に位置する土地は変化きわまりない天候を見せる。

1　統計オタクたちへの情報。ＳＩＲＣ（社会問題調査センター）はこれにかんして国家的規模の調査をおこなった。それによれば直近の六時間以内に天候の話をした者は五六パーセント、一時間以内は三八パーセントであった。この結果が示すのは、どの時点であろうと、少なくとも国民の三分の一は天候の話をしているということである。しかもこれは控えめに見積もった数字である。現実にはもっと多くの人間が天候の話をしているに違いない。イギリス人はいわば自動的に天候の話をするので、多くの場合、調査で訊かれても逐一覚えていないことがあり得る。

わたしは調査をとおして、ブライソンもパックスマンも見当違いだと確信するに至った。彼らが見逃しているのは、天候をめぐるイギリス人の会話が実はそうではなくて、それは一種の決まりであり、彼らの社交的抑制を克服して互いに話をしやすくするために考え出されたものだということである。言うまでもないことだが、たとえば「いいお天気ですね」「うわー、寒いですね」「まだ降っているんですか」などの問いかけは、気象学的データを求める発話ではなく、儀礼的な挨拶であり、会話のきっかけであり、空白を埋めるためのものである。

言い換えればイギリス人の天候の話は一種の「グルーミング・トーク」〔潤滑油の働きをする会話〕で、類人猿に見られる「ソーシャル・グルーミング」（たとえ毛が完全に清潔であろうと、相手との絆を保つために、互いに何時間も毛繕いをしあう行為）に匹敵する。

以上の結論は、わたしの広範囲にわたる参与観察による調査に基づいていたが、正式なアンケートによる調査（そこでは回答者は合理的かつ実利的な回答をする傾向がある）においてさえ、大部分のイギリス人は、自分たちが天候の話をするのは純粋に社交的目的のためである、と認めた。調査の結果でさらに注目すべきは、天候の話が決して年配の人びとのあいだの古い習慣ではないということだった。実際、天気をめぐる行儀のよい会話の重要性を最も強く意識しているのは若者たちである。たとえば、一八歳から二四歳のエイジ・グループからは、人びとが天気の話題を頻繁に用いるのは、それが感じよく礼儀正しくふるまうのに役立つからだという意識が最も顕著にうかがえる。彼らはまた、天気の話が相手の機嫌を探る手がかりになると考えており、これも年配の者たちとくらべて著しい特徴である。

天候の話のルール

応答が大事

ジェレミー・パックスマンは、ブラックネルの気象庁のあたりで出会った「中年のブロンドの女性」が「うわー、寒いですね」と言うのを妙なことだと思い、それを「天候にたいして無限の驚きを示す」イギリス人特有の能力に帰している。実は「うわー、寒いですね」とか「いいお天気ですね」というような問いかけは、「お話ししたいのですが、かまいませんか」とか、ある場合には単に「ハロー」というかわりにイギリス人が使う決まり文句なのである。その女性は気の毒にもパックスマン氏と話をしようとしていたのだ。必ずしも長い会話ではなく、簡単なことばや挨拶を交わすだけのつもりだったかもしれない。天候の話のルールによればパックスマン氏は、せいぜい「ほんとうにね」とか、意味のない儀礼的な返答をすればよく、それは「ええ、わたしはあなたと話をします／あなたに挨拶をします」に相当する決まり文句である。そのような応答をしないことで、彼は小さなエチケット違反を犯し、「いいえ、わたしはあなたと挨拶をかわすつもりはありません」というやや無礼なメッセージを送ったのだ。(だがこれは重大な違反ではない。プライバシーと遠慮は、社交性より上位にあり、知らない人間との会話は決して強制されないからである。)

以前には、少なくともある種の社交的場面では、天気の話にかわる「ご機嫌いかがですか」(“How do you do?”)という挨拶があった。しかし“How do you do?”という挨拶(それへの、馬鹿げて見えるが適切な応対は、その質問をオウム返しに“How do you do?”と答えることである)は、現在では多くの人びとに古めかしいとみなされ、もはや普遍的標準的挨拶として用いられない。だが「いいお天気ですね」ということばを互いに交わすのも同様の挨拶で、文字通りの意味に受け取られるべきではない。「ご機嫌いかがですか?」は健康状態を本気で尋ねているのではなく、「いいお天気ですね」は天候を本気で話題にしているのではない。

天気についてのコメントが問いかけとして(あるいは疑問文のイントネーションで)発せられるのは、それが返答を必要としているからである。とはいえ内容ではなく、応答が大事なのだ。口火を切るためには天気についてのどのような質問的コメントでもよいし、どのようなもごもごした賛同(あるいは受けるだけの「そうですね」)でも返事として通用する。イギリス人の儀礼的な天候の話は、しばしば教理問答、ないし教会における司祭と会衆の応答に似ている。「主よ、憐れみたまえ」「キリストよ、憐れみたまえ」に似て「寒いですね」「ええ、寒いですね」等々。

時には看過されるかもしれないが、イギリス人の天候の話にはある明白な構造、聞き違えようのないリズムがあり、人類学者にとってはそれがただちに「儀礼」の特色であると感じられる。明らかに、天候をめぐる会話は、成文化されていないが暗黙のうちに了承されているルールにのっとっておこなわれる「様式的な」やりとりなのである。

天候の話が登場する場面

天候の話が用いられる場面には重要な決まりがある。イギリス人が始終天候の話をするのは国民的強迫観念ないし固執なのだと他の著者たちは主張しているが、それは散漫な観察である。事実天候の話がふさわしい特定の場面がある。つまり

- 単なる挨拶として
- 他の話題へとつなぐための準備として
- 他の話題にかんして会話が停滞し、気まずい不快な沈黙が生まれたとき、その場しのぎの、沈黙を埋める、あるいはそれにかわる話題として
- 話者が個人的な内輪の話題を避けたがっているというシグナルとして
- 不平を漏らす恰好の口実として
- ユーモアやウィットを発揮する機会として
- 相手の機嫌を探る方法として
- ストイックな精神を示す機会として

このように多様な場面で天候の話が出るので、イギリス人は天気のことばかり話すという印象を与える。

われわれは挨拶としてまず天気の話をし、さらに会話の手始めに天気の話を続け、それから間を置いてジョークや不満の種として、または内輪の話を避けるために、時にはストイックな精神を示そうと、天気の話をする。多くの外国人はもとより、多くのイギリス人コメンテーターでさえ、われわれが天候の話にとりつかれていると考えるのも無理はない。

イギリス人が天候そのものに無関心だというのではない。こうした重要な社会的機能を果たす決まりとして天候が取りあげられるのは必ずしも気まぐれな選択ではない。その意味ではジェレミー・パックスマンの言うとおりで、イギリスの変わりやすく予測不可能な天候は、社交をスムーズに運ぶのに非常に適している。天候がこれほど変化に富んでいなかったならば、われわれは会話のために何か他の仲介物を見つけなければならないだろう。

だが天候の話が天候にたいする熱烈な関心に由来するものだと考える点で、パックスマンをはじめコメンテーターたちは間違っている。それは初期の人類学者たちが、ある種の動植物が部族の「トーテム」として選ばれたのは、その部族がその特定の動植物に特別な関心や畏敬を抱いているからだと考えたのと同じ間違いである。実際人類学者レヴィ＝ストロースがのちに説明したように、トーテムとは社会構造や社会的関係を規定するためのシンボルである。ある氏族のトーテムが黒いオウムであるのは、その氏族が黒いオウムそのものに何か深い意味を付与しているからではなく、白いオウムをトーテムとする別の氏族との関係を規定し表現するためである。この場合、オウムという選択は完全に恣意的なものではない。トーテムは抽象的なシンボルよりも、人びとに馴染みのあるその土地の動植物であることが多い。したがってトーテムの選択は、たとえば「そちらのチームが赤なら、わたしたちのチームは青」というほど恣意的ではなく、自分の社会を表現し他と区別するためのシンボルとして用いられるのは、常に馴染み深い自然の風物である。

天候の話には同意すること

イギリス人は明らかに社交の潤滑油として、自分たちが親しんでいる自然界のなかからきわめて適切な話題を選んだ。イギリスの天候は気まぐれで捉えがたいので、常に新たなコメントをし、驚き、推測し、嘆き、あるいはこれが最も重要な点だが、同意する内容に事欠かない。ここで天候の話にかんするもうひとつの重要なルール、つまり「いつも同意すること」が登場する。ハンガリーのユーモア小説作家ジョージ・ミケシュはこのルールに注目して、イギリスでは「天気の話では相手が誰であろうと決して反駁してはならない」と書いている。「寒いですね」という天候を使った挨拶、あるいは会話の口火が常に互換的であるべきことはすでに述べたが、加えて応答では同意を示すことがエチケット上要求される。

同意を示さないのは重大なエチケット違反である。司祭が「主よ、憐れみたまえ」と唱えるとき、会衆が「でもどうして?」と答えることはない。会衆は義務を守って「キリスト、憐れみたまえ」と唱える。同様に「うわー、寒いですね」にたいして「いや、結構暖かいですよ」と答えるのは無作法である。わたしがやったように、何百という天気の話に注意深く耳を傾ければ、このような反駁はごく稀で、ないに等しいことがわかるだろう。これがルールなのだと意識している人はたぶんいない。人びとはルールに従っていることを意識さえしていない。ただそんな反駁はしないということである。

もし意図的にルールを破るなら（人類学のために、わたしが何度か義務的におこなったように）その場の雰囲気に緊張か気まずさが生まれ、たぶん相手はやや敵対的となる。誰も表立って不満を表わしたりことを荒だてたりはしない（不満を表わしたり、ことを荒だてる場合にはそれなりのルールがある）が、相手は感情を害し、そのことは微妙に表われる。気まずい沈黙があるかもしれない、それから誰かがむっとしたように「でもわたしは寒いですけど」とか「ほんとうに、ほんとうに？　あなたは暖かいと思うんですか？」と言うかもしれない。だがたいてい人びとは話題を変えるか、あなたのヘマを無視して冷ややかに、だが礼儀正しく、自分たちだけで天候の話を続ける。たいそう礼儀正しい人たちであれば、あなたの失敗をカバーしようと、事実よりも好みや個人的性癖の問題として捉えなおすようにあなたを誘導するかもしれない。そういう人びとからは「いいえ、結構暖かいですよ」にたいして、やや気まずい沈黙のあとこんな答えが返ってくる。「まあ、たぶん寒さをお感じにならないのでしょう。わたしの夫もそうですよ。わたしが寒くて震えていても、彼は暖かいって言います。きっと女性のほうが男性よりも寒さに敏感なのでしょうね」

同意ルールの例外

上のような寛大な対応が可能なのは、イギリス人の天候の話のルールが複雑であるからで、ルールにはしばしば例外や微妙なバリエーションが存在する。同意するというルールの場合、主たるバリエーションは個人的な好みや、天候への敏感さの違いにかかわっている。天候にかんする「事実的コメント」

（これはたいがい質問のかたちで表現されるが、すでに見たように、それが合理的回答ではなく社交的応答を要求するからである）には、コメントが明らかに間違っているときでさえ、常に同意しなければならない。しかし相手とは違う個人的好み、個人的習慣や感受性にことよせて不同意を表明することはかまわない。

「うわー、寒いですね」と言われて、相手に同意できない場合の適切な返答は「ええ、でもわたしはこういう天候が本当は好きでしてね。とても爽快じゃありませんか」あるいは「ええ、でもご存じのとおりわたしは寒さが気にならないたちでね。わたしには結構暖かく感じられます」注目すべきは、二番目の場合には「結構暖かく感じられます」というあからさまな矛盾が続くにせよ、返答がともに「ええ」という同意で始まっていることである。礼儀が論理より大事である以上、このような自己矛盾は問題なく容認される。だが、もし最初の決まり文句の「ええ」を言う気になれない場合には、かわりに肯定を表わすようなあいまいな音を発して頷くのでもよい。それも同意の表現で、ただ強調が欠けるだけである。

さらによい応答は「文句を言うべきではない」という伝統的な反応である。「ええ（さもなければもごもご言って頷き）、でも少なくとも降っていませんね」寒い天候が好きだとか、寒いと思わないときは、この返答によってあなたと、あなたの震えている相手は具合よく同意に達することができる。寒いが晴れた日のほうが、寒い雨の日よりもよいということには誰しも同意する。少なくともそう思うのが習慣である。

個人の好みや感受性に由来するバリエーションは同意ルールの例外というよりも、そのルールの修正である。「事実的コメント」への単刀直入な反駁はこの場合もタブーで、同意という原則はやはり存在する。ただし意見の違いが個人の好みや感受性に由来することが明白であるかぎりにおいて、それらの違いを許容することでルールがやわらげられるにすぎない。

しかしながら、天候の話で同意するというルールに従うことをまったく求められない場合がひとつあり、それは男同士の、とくにパブでのやりとりである。これは今後何度も出てくる事柄で、パブでの会話を扱う章でさらに詳しく述べるが、さしあたって大事な点はイギリスの男同士の会話、とくにパブという特殊な環境でなされる会話においては、天候にかぎらずどんな話題であろうと、公然と絶えず反駁することが、友情を表現し親密さを実現する一手段だということである。

天候のヒエラルキー

寒い日に「でも降ってはいませんね」という応答が、事実上同意を表わしていることをすでに述べた。なぜならイギリスの天候には非公式なヒエラルキーが存在していて、ほとんどすべての人間がそれに従っているからである。最高から最低まで順に挙げれば、ヒエラルキーは以下のようである。

- 晴天で暖か／穏やか
- 晴天でひんやり／寒い
- 曇天で暖か／穏やか

●曇天でひんやり／寒い
●雨天で暖か／穏やか
●雨天でひんやり／寒い

イギリス人がひとり残らず雲より太陽を、寒さより暖かさを好むと言うつもりはないが、そうでない好みは例外的だと言いたい。[2] テレビの天気予報も明らかにこのヒエラルキーに従っている。雨を予報するときは申し訳ありませんというような語調となるが、でも少し暖かくなるでしょう、と明るい調子でつけ加えるのは、予報士が雨で暖かいほうが、雨で寒いより望ましいことを承知しているからである。同様に寒い天候を予報するさいの悲しげなトーンは、寒くても陽が射す見込みがあれば明るさを帯びる。というのも陽が照って寒いほうが、曇って寒いよりよいと誰もが思うからである。だから雨が降って寒い天候でないかぎり、「でも少なくとも……ではない」という応答を用いることができる。

降っていて寒いとか、とにかくむしゃくしゃするとき、われわれはジェレミー・パックスマンが言う「静かに嘆くというイギリス人特有の能力」を発揮する。これはうまい表現だが、このような天候につ

2 この裏付けとして（また天気の話の重要性を証明するものとして）「シソーラス」に載っている「ナイス」の七つの同義語のうち、五つまでが天候にかぎられた意味であることを指摘したい。その同義語とは「好天である（ファイン）」「晴れている（クリア）」「穏やかである（マイルド）」「爽やかである（フェア）」「陽が照っている（サニー）」

いての「嘆きの儀式」は重要な社交的目的を有することを指摘しておきたい。つまりその儀式は友好的な同意をさらに深め、この場合には「あいつらとわれわれ」的要素を帯びさえする。「あいつら」は天候そのもの、ないし予報士である。嘆きの儀式は賛同の表明（プラス、ウィットとユーモア）を示し、共通の敵にたいする団結の意識を生み出す。両方とも社会的絆を結ぶうえで大いに役立つ。

ヒエラルキーの最下部に位置する天候について許容されている、より積極的な反応は、天候が間もなく好転するという予言である。「ひどい天気ですね」にたいしては「ええ、でも午後には晴れるそうですよ」と応じることができる。だが相手がイーヨー[3]のように悲観的であれば、「そうですね。昨日はそう言っていましたが、一日中降りましたものね」と答えることもできる。ここで楽観的予測を放棄して、つかの間の嘆きの気分に浸ってもよい。内容が問題ではなく、大事なのはコミュニケーションであり、同意し意見を共有することである。ともに嘆くことは、ともに楽観し、ともに予測し、ともに耐えることと同じように、社交的交流を深め、社会的絆を強めるうえで効果的なのだ。

個人的な好みが、天候の非公式的ヒエラルキーと異なっている人びとにとって重要なのは、自分が好む天候がヒエラルキーの下部であればあるほど、個人的好みないし感受性という免責事項に即して自分のコメントを修飾する必要である。たとえば暖かさより寒さを好むのは、太陽が嫌いというよりは受け入れられやすく、太陽を嫌うのは雨が大好きというよりは受け入れられやすい。しかし最も風変わりな好みでさえ、天気の話のルールをわきまえていさえすれば、無害な逸脱として受け入れられる。

雪がヒエラルキーのなかに登場しないのは、幾分かはヒエラルキーに含まれる他の天候――始終現れ、時には一日のうちにすべて出揃うような――にくらべて比較的稀だからである。雪はまた、美しいが実際には不便を招くので、社交的にも会話的にも厄介なケースである。雪はわくわくさせると同時に、心配の種となる。常に会話のよい材料になるが、クリスマスに降る場合を除いて万人に歓迎されるというわけにはゆかず、クリスマスに降ることはめったにない。だが降ることをわれわれは願い続け、毎年大通りにはブックメーカーが現れて「ホワイト・クリスマス」の賭けで人びとから何千ポンドも奪っている。

自信をもって雪に適用できるルールは一般的で、きわめてイギリス的な「節度というルール」である。すべての過剰なもの同様、雪の降りすぎも嘆かわしい。温かさや日光でさえほどよいときだけ受け入れられ、照りつける暑い日が何日も続けば、人びとは干ばつを案じ、ホースによる放水の禁止に文句を言い、悲劇を予告する口調で互いに一九七六年の夏の話を始める。さもなければ、地球温暖化を嘆く。パックスマンが言うように、イギリス人は「天候に驚く無限の能力」をもっているかもしれない。天

3　イギリス文化に詳しくない人のために言っておくと、イーヨーとは『クマのプーさん』に出てくる陰気で悲観主義のロバである。

候に驚かされるのを楽しむと彼が言うのもそのとおりだろう。しかしわれわれは同時に驚きを予期している。つまりこの国の天候の変わりやすさに慣れていて、天候が目まぐるしく変わることを予期している。同じ天気が二、三日続くと、われわれは落ち着かなくなる。雨が三日以上続けば、洪水の心配をし、雪が一日か二日続くと、天災だと言われ、国じゅうの機能が停止する。

天候は家族

イギリス人は自国の天候を長々と嘆くかもしれないが、外国人がそれを悪く言うことを許さない。その点でわれわれはイギリスの天候を家族の一員のように扱っている。自分の子どもや親たちについて不満を口にするのはかまわないが、家族ではない者が少しでも非難めいたことを言うのは禁物だし、非常に無礼な行為である。

われわれはイギリスの天候が比較的ドラマティックな要素に欠けていること――極度の寒暖、モンスーン、大嵐、竜巻、吹雪がないこと――を承知しているが、だからイギリスの天候は劣っていてつまらないと仄めかされると、たいそう腹を立て天候を弁護する。イギリスの天候にかんして、外国人、とくにアメリカ人が犯す最悪の誤りは、それを軽んじることである。夏に気温が二〇度台後半に達し、「やれやれ、暑いですね」とわれわれが不平を言うとき、アメリカ人かオーストラリア人旅行者が馬鹿にするように笑って、「これが暑いって？　こんなの暑いなかに入りませんよ。暑さがどんなものか知りたきゃ、テキサス（あるいはブリスベン）に来てみなさい」と言ったら、反感を買う。

このようなたぐいのコメントは同意のルールおよび「天候は家族」のルールに完全に違反するばかりか、天候を大雑把に物量的に扱う態度を示している。それは下品でわれわれがよしとしない態度である。大きさがすべてとはかぎらない、とわれわれは軽蔑して言う。イギリスの天候は、大量のもの、大規模なものへの通俗的な熱中ではなく、微妙な変化や目立たないニュアンスを捉えることを求めるのです、と。

事実、天候はイギリス人にいまだに無意識的な、臆面もない愛国心を発揮させる数少ないもののひとつである。イギリス国民性についてのわたしの参与観察は当然天候にかんする数多くの会話をともなったが、その間にわたしはあらゆる階級と社会的背景の人びとが、イギリスの天候をむきになって弁護するのに出会った。

アメリカ人の数量好みにたいする軽蔑は行き渡っていて、ある率直なインフォーマント（パブの経営者）のことばは多くのイギリス人の気持ちを代表していた。「ああ、アメリカ人ときたら、天気だって何だって、いつだって「俺のはおまえのよりでかい」と自慢する。下品だよ。でかいステーキ、でかいビル、でかい吹雪、もっと暑くって、もっとハリケーンが来て……アメリカ人の悪いところは、微妙さってものがわからないことだ」。ジェレミー・パックスマンは、同様に愛国的だが、もっと優雅にビル・ブライソンが挙げたモンスーン、荒れ狂うブリザード、竜巻、雹などを「芝居じみたもの」として退けている。実にイギリス的な非難である。

天候の話とイングリッシュネス

イギリス人の天気の話をするとき、そこに見られるルールは、イングリッシュネスについて多くのことを語っている。天気以外の会話についての決まりや、生活の他の側面における行動のルールについて詳細な検討を始める前に、すでにこれらのルールはイングリッシュネスの「文法」についてたくさんのヒントや手がかりを与えてくれる。

天候をめぐる応答と、天候の話が登場する場面には、社交上のタブーが見てとれると同時に社交上の「潤滑油」の巧みな使い方が見られる。同意のルールとその例外は、礼儀の重要性と摩擦の回避（また特定の社交的場面における摩擦の是認）、および論理よりもエチケットを優先させる現象を示している。同意のルールのバリエーション、および天候のヒエラルキーに附随する事柄にかんしては、エキセントリックなものの受容とストイックな態度が見られる。後者はイーヨー的悲嘆への偏愛によってバランスが保たれている。節度という習慣は極端なものを嫌い是認しない態度を表わし、天候を家族のようにみなす態度は驚嘆すべき愛国心と、控えめな魅力をよしとする奇妙な態度を示している。以上に述べたことすべてには、さらにユーモアという底流と、物ごとを過度に深刻に受け取らない態度があるように思われる。

明らかなことだが、こうしたものが「イングリッシュネスの決め手となる特長」であるか否かを見極めるには、さらなる証拠が必要であろう。しかし少なくともイングリッシュネスにたいする理解は、成文化されていないルールの詳細な調査から生まれることがわかりはじめてきた。

2 グルーミング・トーク

前章で、天候の話は一種のグルーミング・トーク〔潤滑油の働きをする会話〕であると主張した。人類がおおいに誇り得るところの、複雑な言語をあやつる能力は、その大部分が実際にはグルーミング――互いにシラミを取りあったり、背中を掻きあったりする行為――に匹敵する言語的行為に費やされている。

紹介

グルーミング・トークは挨拶から始まる。ここで天気の話が必要とされるのは、幾分かは挨拶や紹介がイギリス人にとって、きわめてきまりの悪い場面だからである。そのことは"How do you do?"という標準的かつどんな目的にもかなう挨拶がすたれて以来、ことに深刻なものとなった。"How do you do?"という挨拶は〔適切な反応は質問に答えるのではなく訝か、よく訓練されたオウムのように"How do you do?" と言うことだが)[1] 今でも上流階級や上層中産階級では用いられている。だがその他の人びとは何を言うべきかわからず、まごまごしている。オールドファッションの "How do you do?" の堅苦しさを軽蔑するのではなく、むしろそれを復活させるキャンペーンを立ちあげたらどうだろうか。そうすれば多くの問題が解決するだろう。

ぎごちなさ

実際、イギリス人の紹介や挨拶は、しばしばぎごちなく、不器用で優雅さを欠いている。友人同士ならそれほどのぎごちなさはないが、それでも手をさしだすべきか、ハグかキスか、を決めかねる。両頰にキスをするフランス人の習慣は、トレンディな人びとや、その他の上層中産階級の人びとのあいだで流行したが、他の多くの社会集団はそんな作法を愚かでわざとらしいと感じていた。ことに「エア・キス」〔キスの真似をして口をすぼめる〕はそうであった。ちなみにエア・キスは女性同士、または男性と女性間にかぎられ、男性同士はしない。頰へのキスが容認されている集団においてさえ、人びとはキスはひとつがよいのか、ふたつなのか確信がもてず、その結果双方が相手の意図をはかろうとして、ためら

1　公平を期して、次のことを指摘したい。"How do you do? " は表向きは質問で、そのように表記もされるが、それは質問文のイントネーションで語尾を上げることなく、普通の文章のように話される。従ってそれを繰り返すことは(一〇〇パーセントとはいえないまでも)それほど奇異ではない。

ったりぶつかりあったりする。

過去一〇年ほどのあいだに、頰へのキスはそれ以前よりずっと多くの人びとに広まり、社会階層の下方へと浸透した。だが大部分の人びとはキスの「適切な数」がわからないままであり（上位の階級はふたつのキス、下位の者たちはひとつに留める傾向があるにしても、誰にも確信はなく）挨拶はいまだにきまりの悪い、落ち着かない場面である。今ではしばしば、握手をして頰にひとつキスをし、そそくさと不器用にハグしたり背中を軽く叩くという、奇妙な組み合わせも見られる。どちらかといえば、今のほうが混乱している。挨拶の仕方という簡単な事柄についてイギリス人が何らかの合意に達するには、おそろしく長い時間を要するだろう。

握手は今ではビジネスの場面での決まりである。というか、ビジネスの関係をもつ人間同士が最初に会うとき普通におこなわれている。皮肉にもある程度形式が要求される最初の紹介が最も容易である。（しかしイギリス人の握手は常にぎごちなく、非常に短く、相手との距離を保っておこなわれ、他の抑制のない文化で見られるように、相手の手を両手で握りしめたり、腕を叩いたりすることはない。）

その後顔を合わせるとき、ことにビジネス上の付き合いが深まってゆくとき、握手という挨拶は堅苦しすぎると感じるようになるが、かといって頰へのキスはくだけすぎ（あるいは社会集団によってはわざとらしすぎる）であろうし、いずれにせよ、男性同士の場合には許容されない。結局どうしたらよいのか誰もわからず、いつものきまりの悪さに舞い戻る。手が途中までさしだされ、引っこめられ、あいまいに振られたりする。まったく接触しないのは少々友好的でないから、頰にキスしようとして不器用にもじもじしたり、腕に触れようとしたりするかもしれない。だがそうした動きも途中でうやむやになる。これは耐えがたくイギリス人的な現象で、過剰な堅苦しさはきまりが悪く、だが過度にくだけるのもきまりが悪い（極端を嫌うという例の問題がここにも登場する）。

名乗らない

完全に社交的な状況では、さらなる困難が生じる。最初の紹介のとき、握手するという一般的なきまりはなく——実際握手はビジネスライクすぎると感じられるだろう——この時点で名前を名乗るというビジネスの慣習もまた不適切とみなされる。パーティで（もしくはバーのカウンターなど、知らない人間との会話が許容されるような場面で）イギリス人が誰かに近づいて「やあ、ぼくはジョン・スミスです」とか「やあ、ぼくはジョン」と言うことはない。実際にはそのような場面での唯一の適切な態度は、自己紹介をまったくせず、天候の話をするなど、会話を始めるほかの方法を見つけることである。

「がさつなアメリカ人的」やり方——「やあ、ぼくはビル、よろしく」と言いつつ手をさしだし満面に笑みを浮かべる——にイギリス人は怯み尻ごみする。この調査のあいだにわたしが話したアメリカ人の観光客や訪問者たちは、イギリス人のこの反応に戸惑いかつ感情を害していた。「わからないわ」ある女性は言った。「こちらが自分の名前を言うと、イギリス人は鼻に皺を寄せて、まるでわたしがひどく個人的な、ばつの悪いことを話したみたいな顔をするんです」。「そのとおりだ」と彼女の夫がつけ加えて言うには「連中ときたら、あの少しすました微笑みを浮かべて、ハローというだけ。自分は名乗らないことをはっきりさせたうえで、こちらがとてつもない礼儀違反をやったと伝えるんだ。一体全体自分の名前を言うのがどうしてそんなプライベートなことなんです？」

わたしはできるかぎり親切に説明した。イギリス人は、たとえばあなたが相手の娘と結婚するというような、かなり親しい関係になるまでは、あなたの名前を知りたがらず、自分の名前を教えようとも思わないのです、と。名前を言うよりも、天気について（あるいはパーティでもパブでも、ご自分の今いる場所について）漠然と問いかけるようなコメントをして会話を始めたらいかがでしょう？　これもあまり大声ではいけません。大真面目で力のこもった話し方ではなく、なるべく軽やかにカジュアルに、まるで偶然そうなったかのように、さりげなく会話へと「漂って」ゆくことが狙いです。相手が喋りたがっているように見えても、自己紹介をしたいという気持ちは抑えるのが普通です。

やがては名前を交換する機会があるだろうが、カジュアルに自然にそうなるのがよく、また相手がイニシアチブをとるように待つのがベストである。もしあなたが名乗ることなく、長い時間親しく相手と話をした場合には、別れ際にあたかも自己紹介を忘れたことに今気がついたように、こう言ってもよいだろう。「お話しできてよかったです。ところでお名前を聞き逃しましたが……」そう言われて、あなたの新しい知己は彼／彼女の名前を告げる。そのときあなたはようやくにして名乗ってもよいが、「あ、ぼくはビルです」とさりげなく言わねばならない。

こうした手順についてのわたしの説明を聞いて、洞察力に富むあるオランダ人観光客が言うには「そうか、わかりました。まるで『鏡の国のアリス』で、イギリス人は全部逆の順序でやるんですね」。わたしはイギリスのエチケットの手引きとしてアリスを勧めようとは思っていなかったが、考えてみるとなかなかよいアイディアではある。

「お目にかかれて幸いです」にかかわる問題

ディナーパーティのような小さな集まりでは、主人が客たちに互いの名前を知らせて、名乗りの問題を解決してくれるだろう。だがそれでもなおぎごちなさは残る。"How do you do?" を使わなくなった結果、紹介されたあと互いに何を言うべきか誰にも自信がないからである。"How are you?" は、同じ意味であるにもかかわらず、また同様に質問とはみなされない――適切な返答は、健康状態如何に関係なく「どうも。おかげさまで」("Very well, thank you") あるいは「元気です。どうも」("Fine, thank you") だが――にもかかわらず、すでに知り合っている者同士の挨拶としてのみ使われる習慣なので、最初のやりとりとしてはふさわしくない。おざなりの答えでよいにもかかわらず、"How are you?" は最初に知り合った者同士では個人的、親密的すぎる問いかけなのである。

現時点で最も普通の挨拶は「お目にかかれて幸いです」("Pleased to meet you") あるいは "Nice to meet you" や "Good to meet you" など同様の意味のものである。だがある社会集団――上流階級および上層中産階級の上位に位置する人びとにとって、この平凡な挨拶の難点はまさに平凡であること、すなわち下層階級的だという点である。このような見方をする人びとはそんなふうには言わないだろう。「お会いできて幸いです」という挨拶は「正確ではない」と彼らは言うだろう。確かににそう書いてある礼儀作法の本を今でも目にすることができる。そのような本によれば、「お会いできて幸いです」は明らかな嘘であるから、つまりその時点では相手に会ったことが幸いであるかどうかは決してわからないのだから、そんなことを言うべきではない、とある。イギリス人の礼儀作法につきものの数々の不合理、不誠実、偽善を思えば、この助言は不必要で、柄にもなく良心的だと思われる。

その起源や疑わしい理屈がどうであれ、"Pleased to meet you"をよしとしない態度は上の階級の人びとのあいだでは広範囲に——時にはその挨拶がどうしてしっくりこないのか知らない人たちのあいだにさえ——見られる。そういう人たちは、その挨拶はなんとなく適切ではないと漠然と感じている。"Nice to meet you"のほうがしばしば好まれるが、それはおそらく「ナイス」のほうが「プリーズド」より中立的であるため、「ナイス」は使われすぎて実質的な意味をもたなくなっているためであろう。だが「プリーズド」を「ナイス」に替えても依然違和感を抱く人びとは存在している。

階級的偏見をもたず、それが適切で丁重な挨拶であると思っている人びとのあいだでさえ、この挨拶が堂々と自信をもって発せられることは稀である。たいがいの場合それは「プリミチュ」（あるいは「ナミチュ」「グミュチュ」）としか聞こえないくらいそそくさとぎごちなく口にされる。こうしたぎごちなさは、逆説的だが、自分が「適切な」ことを言っているという確信から生じているのかもしれない。型に沿った挨拶は決まりが悪く、かといって型に沿わない挨拶もきまりが悪い。どうやってもきまりが悪いのだ。

きまり悪さ

事実、初対面の場面と挨拶のこうした混乱状態のなかで、多少なりとも確信をもって示すことのできるルールは、完全にイギリス的であるためには、人はそうした挨拶をぶざまにやらなければならない、ということである。自意識過剰で、落ち着かず、ぎごちなく、とりわけきまり悪そうに見えねばならない。滑らかな身のこなし、口達者、自信のある態度は不適切で、非イギリス的である。躊躇し、うろたえ、不器用な対応をすることこそ、意外に思われようとも、正しいふるまいである。[2] 紹介はできるだけそそくさと、だが同時に最大の無能さをもってなされねばならない。名前を知らせる場合にはもごもごと告げ、握手の手はためらいつつ半分さしだし、ぶざまに引っこめる。是認される挨拶は「あ、いかが、むむ、お目に……幸い、あ、ハロー？」のようなものである。

社交上手な人間であるか、紹介などがもっと理にかなった、ストレートなやり方でおこなわれる国（イギリス以外のどの国でもそうだが）の出身であるならば、イギリスで求められるぎごちない、不自然な無能ぶりを体得するのに少々訓練を必要とするだろう。

2　驚くと同時にやや危惧したのだが、この箇所が（ほぼ文字通りに）取りあげられて、少なくともあるエチケットのガイドブックに掲載されている。「ぎごちなさが適切」という不文律が公式ルールとなるのはわたしの意図ではない。またデゥブレッツ〔マナー・エチケット等にかんして、もっとも権威があるとされる出版社〕のネットの「イギリス人のふるまい」にかんするガイドにはこの本に述べたことが多数（もちろんもっと詳しく説明されているが）取り入れられている。

イギリス的ゴシップ

通常のぎごちない紹介、まごまごした挨拶、会話の手始めの天気の話を経て、人びとは他のグルーミング・トークへと進む。(エリザベスがダーシーに向かって言ったように「少しはお話をしませんとね。黙りこくっていると妙に見えるでしょうから」〔ジェイン・オースティン『高慢と偏見』第一八章〕)

知らぬ者同士は天候とか、比較的あたりさわりのないほかの話題をいつまでも続けるかもしれない。(とはいえ実際には完全に安全な唯一の話題は天候である。他のすべての話題は、少なくとも特定の状況のもとでは、潜在的に「危険」であり、すべての話題に、いつどこで誰にたいしてそれを提起してよいかにかんして、何らかの制約がつきまとうからである。)しかし友人間で最も一般的なグルーミング・トークは、イギリスでもゴシップである。イギリス人は確かにゴシップ好きの国民である。イギリスにおける最近の研究によれば、イギリス人の会話の三分の二はゴシップに費やされている。誰が何を誰とやったか、誰がかかわっており、誰がかかわっていないか、それはなぜか、ややこしい人間関係にどのように対処すべきか、友人、家族、有名人のふるまいや恋愛、家族、友人、恋人、同僚、隣人と自分とのあいだの諸問題、日常的社会生活の詳細。要するにすべてゴシップである。[3]

もっときちんとしたゴシップの定義が必要ならば、わたしが目にした最上の定義はヌーンとデルブリッジの次の定義である。「ある社会集団のメンバーについて、価値観をともなう情報を非公式に伝達するプロセス」。この定義は完全には、ゴシップのすべての側面を網羅していない。たとえば有名人についてのゴシップが含まれていない。もちろん「ある社会集団に属するメンバー」のなかに、映画スター、ポップスター、テレビタレント、王室の人びと、政治家などが含まれているなら別だが、そのようには考えにくい。だが公平に見て、有名人についてのわれわれのゴシップは確かに彼らを自分たち自身の社会集団の一員であるかのように扱っていて、ソープ・オペラや「リアリティ・ショー」〔素人が出演し、生の反応を見せる告白型・対決型のトークショー〕の登場人物たちの葛藤、スーパーモデルの恋愛、映画スターの結婚、キャリア、出産などは、自分の家族、友人、隣人についてのゴシップと区別しがたい。だからこの点にかんしてはあえて批判はしないでおく。

　実際、この定義がよいと思う理由のひとつは、それがゴシップをする当人も含めゴシップ的情報が伝達される人びとの範囲を示しているからである。いくつかの調査によれば、「ゴシップ・タイム」の約半分は、他の人びとの動静よりも、話し手あるいは聴き手の活動にかんするものだという。この定義がゴシップの評価的性格に触れているのもよい。非難や消極的評価はゴシップ・タイムの約五パーセントしか占めていないことが明らかにされているが、ゴシップには通常、意見や感情の表明が含まれている。イギリス人のあいだでは、それらの意見や感情は直接的に表現されるよりも、しばしば暗示されるか、声の調子で微妙に伝えられる。にもかかわらず、われわれが「誰が何を誰とやっているか」についての

3　この研究はわたしが支持する方法、つまりアンケートや実験ではなく、自然な状況における実際の会話を盗み聴きするというやり方でおこなわれており、従って発見の結果を信用することができる。

詳細を語る時には、きまってその問題にかんするわれわれの見方が示されている。

プライバシー

イギリス人のゴシップ好きにかんする調査結果に以上で触れたが、イギリス人が他の文化の人びとよりもゴシップ好きだと言うつもりはない。他の地域における調査でも、会話の三分の二は同じような、人にかかわる話題に費やされているに違いない。イギリス人についての調査をおこなった研究者（進化心理学者ロビン・ダンバー）によれば、ゴシップは人類の普遍的な特長で、言語はゴシップを可能にするために、人口の増大によって身体的グルーミングが不可能になったとき、類人猿の「グルーミング」の代替物として、発達したという。[4]

わたしが言いたいのは、イギリス人にとってゴシップがことに重要であるのは、プライバシーにこだわるせいかもしれない、ということである。年齢も背景もまちまちなイギリス人にインタビューをし、グループ討論をおこなったとき、明らかになったのは、ゴシップの楽しみは、ゴシップに含まれる「リスク」と大きな関係がある、ということだった。ほとんどのゴシップは無害なものだが、それでもなお、ゴシップは他人の「プライベートな」生活についての話で、本来してはいけない、禁じられたことをしているという意識をともなっている。

ゴシップによる「プライバシーの侵害」は、ガードが固くプライバシーをことさら重んじるイギリス人にとって、重大な事柄である。イギリス文化におけるプライバシーの重要さは強調してもしすぎることはない。「プライバシー重視の精神が、法律の基盤にある前提からイギリス人の住居に至るまで、イギリスの組織すべてに染みとおっている」とジェレミー・パックスマンは指摘する。「イギリス人の耳にとって最も忌まわしい名前はノージー・パーカー〔お節介な人〕だ」とジョージ・オーウェルは言う。

加えて、最も影響力をもつ社会的ルールや格言のきわめて多くが、プライバシーの維持にかんするものである。人のことに容喙せず自分のことに専念せよ、自分のことで騒いだり、人の注意を喚起したりせず、自分のことは口外するな、内輪の醜聞を広めるなと、われわれは教えられる。ここで想起すべきは"How are you?"[5]は個人的に非常に親しい友人ないし家族のあいだでのみ「本来の」質問とみなされることで、その他の場面では、自分の心身の状態如何にかかわらず、「元気です」「おかげさまで」「まあまあです」という機械的、儀式的な応答が普通である。もし病気の終末期であるならば「こんなものでしょうね」という答えが許容される。

結果として、禁断の果実の魅力のせいで、われわれイギリス国民は「自分たちの社会の構成員」の、

4　もちろん言語の進化にかんしては他の理論もある。そのなかで最も魅力的な説は、ジェフリー・ミラーの、言語は求愛行動として——われわれが恋愛遊戯をおこなうために——進化したという想定である。幸いなことに、ゴシップには多様な機能があって、求愛のためのステイタスの誇示もそのひとつだと考えれば、この「恋愛遊戯」理論は「ゴシップ」理論と両立する。

5　この現象はアメリカ合衆国ではいっそう顕著である。アメリカでは"Hi-how-are-you?"や"Hey-how-are-you?"は普通の使い捨ての挨拶で、相手の答えはほとんど、あるいはまったく要求されない。イギリス人の"How do you do?"と似ているが、イギリスの場合には少なくとも同じ挨拶を丁重に繰り返すことが必要とされている。

立ち入り禁止の私生活に際限なく魅了された覗き屋の集団である。イギリス人が他の国民にくらべてゴシップが多いということはないかもしれないが、イギリス人のプライバシーへの固執がゴシップの価値を高める。需要と供給の法則によってゴシップはイギリス人のあいだで価値ある商品となる。「プライベートな」情報は不特定多数の人間たちに軽々しく安易に与えられるべきではなく、自分がよく知る、信頼できる人びとにのみ伝えられるべきなのである。[6]

イギリス人は冷淡で打ち解けず、非友好的で人を見下しているという、外国人がしばしば口にする不満の原因のひとつはこれである。他の大部分の文化においては、基本的な個人情報――自分の名前、職業、結婚して子どもがいるか否か、どこに住んでいるか――を示すことは大きな問題ではない。だがイギリスでは、新たに知り合いになった人から、そのような一見些細な情報を引き出すことが、歯を抜く行為に匹敵し得る。質問のひとつひとつに相手は顔をしかめ尻込みするのだから。

推理ゲーム

女王が訊くなら別だが、「お仕事は何ですか？」と尋ねることは礼儀にかなったものと普通思われていない。考えてみれば、それは新たな知己にたいする至極ありきたりの質問で、最も容易に会話を始める方法なのだが。だがプライバシーへのこだわりに加えて、われわれイギリス人、ことに中産階級の人びとは、人づきあいをことさらむつかしいものにするという倒錯的なニーズをもっているようである。そのため相手が生計のためにどんな仕事をしているかを知るために、遠回りで間接的なアプローチがエチケット上要求されている。禁じられた質問をすることなく、新たな知己の職業を確認するために、四苦八苦しつつ遠回りする長い会話に耳を傾けるのは、時にたいそうおもしろい。この推理ゲームは、中産階級の社交の場ではどこでも、初めて会った相手とのあいだで頻繁におこなわれ、他の事柄についてのコメントに含まれた「ヒント」から相手の職業を推理することも、そのひとつである。

たとえばその地域での交通渋滞にかんするコメントが「ほんとうに、ひどいものです。ラッシュアワーだともっと大変です。車でご通勤ですか？」という返事を引き出す。相手は質問の意図を知って、普通は訊かれたことはもちろん、訊かれていないことにも親切に答えてこんなふうに言う。「ええ、でもわたしは病院に勤めていますから、少なくとも街の中心部に入ってゆかなくてすみます」これを受けて質問者はより直接的な推理を許される。「まあ、病院にご勤務。ではお医者さまですか？」（可能性のある職業が二、三ある場合には、最初の推理では最も高位のステイタスを――看護師、受付、医学生よりも医者を、秘書よりも弁護士を言うのが礼儀である。さらにこの段階で直接的推理が許されるにしても、ズバリと言うよりも質問のかたちをとるほうが好ましい。）

誰もがこのルールをわきまえており、会話の早い段階で手がかりとなる「ヒント」を提供する。たとえ自分の職業をきまり悪く思うとか、わざと謎のままにしておきたくても、「ヒント」を探す段階をあまり長引かせるのは無礼であり、ひとたび明確な推理がおこなわれたなら、自分の職業を明らかにしな

6　こうしたプライバシーの決まりには次第に重要性を増しつつある例外が増えている。「活字という例外」「インタネットという例外」など。（七四頁参照）

ければならない。新たな知己が明らかにヒントを投げているのに、それを無視するのも同様に無礼である。（医療関係の職業の話を続けるならば）彼／彼女が話のついでに「わたしのクリニックはすぐこのそばです」と言ったなら、あなたは名誉にかけてこう推理しなければいけない。「では開業しておられるんですね」

相手の職業がついに明らかになったとき、その仕事がいかにつまらなく中味が知れていようと、驚きを示すのが決まりである。「ええ、わたしは医者（あるいは教師、会計士、ＩＴ管理者、秘書等々）です」にたいする標準的応答は「まあ！」とまるでその職業が意表をつく、すてきなものであるかのように驚くことである。普通はこのあときまってばつの悪い沈黙が続き、そのあいだ一方は相手の職業にかんして適切なコメントか質問を必死で思いつこうとし、もう一方は控えめで、おもしろくて、だが相手を感心させるようなことを何か言おうと知恵をしぼる。

同様の推理ゲームは、相手が住む場所や、結婚しているか否か、出身学校や大学などを知ろうとするときにもしばしば用いられる。直接的質問であっても、それほど失礼ではない質問もある。たとえば「どちらにお住まいですか？」は「何のお仕事をしておいでですか？」ほど失礼ではない。だがこの比較的失礼でない質問でさえ、もっと間接的な表現「この近くにお住まいですか？」あるいはもっと遠まわしに「遠くからおいでですか？」などを用いるほうがよい。子どもがいるかどうかを訊くほうが、結婚しているのかどうか尋ねるよりも感じがよいので、前者は後者の答えの「ヒント」を得る遠回りな方法として一般に用いられる。（イギリス人男性の多くは結婚指輪をはめていないので、子どもにかんする質問は相手が未婚か既婚かを知るために、独身女性によってしばしば用いられる。ただしこの質問が許されるのは、適切な会話の流れのなかのみであって、唐突に子どものことを訊くのは、相手の男性が自分にとって入手可能かどうかを確かめるための、あまりに露骨なやり方だろう。）

　推理ゲームという儀式によって、われわれは最終的には、この種の基本的な調査項目にかんする情報を引き出すことができる。だがイギリス的プライバシーのルールにのっとって、われわれの生活や人間関係についての興味ある詳細は、親しい友人や家族のためだけのものである。それは無闇に撒き散らしてはならない「特別の」情報なのだ。イギリス人はこのような国民性に誇りをもっていて、「会ってから五分もたたないうちに、自分の離婚や子宮摘出手術やセラピストのことを喋る」アメリカ人を冷笑する。この批判にいくらかの根拠があろうとも、それはおそらくアメリカ人よりも、イギリス人と彼らのプライバシーの決まりについて、より多くのことを物語っている。

　ついでに言えば、イギリス的プライバシーのルール、ことに詮索を禁じるルールは、絶え間のない詮索によってのみ、血の通ったデータを得ることができる社会調査の仕事をきわめて困難なものにする。この本のなかの多くの発見は、困難な方法で――目に見えぬ歯を抜いたり、しばしば迂回してプライバシーのルールを避けるような卑劣な方法や計略を見つけることで――得たものである。だがそのような方法を考え、それを実験的に用いる過程のなかで、たとえば次に挙げる距離のルールのような、思いがけぬおもしろいルールを把握することができた。

距離

イギリス人のあいだでは、自分自身の個人的な事柄にかんする話は、普通親しい人たちだけにする。友だちや家族の私生活にかんするゴシップはそれよりやや広い範囲の人びとと共有し、知り合い、同僚、隣人の個人的な事柄についてのゴシップはさらに広範囲のグループで、名前を知られた人間や有名人の私生活の詳細はほとんど誰とでも、共有する。これが距離のルールで、ゴシップの対象が自分から遠ければ遠いだけ、その人のゴシップをする人の輪は広くなる。

距離のルールはゴシップが、プライバシーを不当に侵害することなく、その社会的機能を果たすことを可能にする。つまり社会的絆を強め、地位とステイタスを明確にし、評判の査定とコントロールをおこない、社交的スキルや規範や価値観を伝達する。さらに重要なことだが、このルールのおかげで詮索好きの文化人類学者は、プライバシーのルールを巧みに避けて、調査のための詮索的質問を設定することができる。

ひとつの例を挙げれば、結婚のような微妙な問題について、イギリス人の態度や考えを知ろうとする場合、彼/彼女自身の結婚について質問をする必要はなく、誰か他の人の、できれば個人的にまったく付き合いのない著名人の、結婚の話をすればよい。より親しい相手ならば、同僚、隣人、あるいは友だちや親類の恋愛問題を引き合いに出せるだろう。(たまたま同僚や親類の結婚が、都合よく破綻しかかっていない場合は、そういう人間を創り出せばよい。)

相互的開示計略

イギリス人と友だちになった場合、その人の結婚について、または他の「私的な」事柄をなんとかして知ろうとするならば、相互的開示の計略を用いる必要があるだろう。これは多かれ少なかれ普遍的なルールで、われわれはほとんど無意識的に会話のなかで、ある程度の均衡ないしバランスをとる。たとえばこちらが自分の私生活についてなにがしかのことを話すと、相手はたとえ反射的な礼儀からであっても、それに匹敵するような個人的情報を伝えなければ、と感じる。その後は、こちらが次の話でより多くを打ち明け、それに匹敵するような応答を相手から期待するというように、親密さのレベルを上げてゆくことができる。

しかしイギリス人相手のときには、非常に小さな取るに足らないようなこと――「プライベート」とは言えないような、会話のなかで自然に触れることができるような事柄――から始めて、このさしさわりのない発端から一歩一歩積み上げてゆくのがよい。相互的開示計略は、面倒な骨の折れる手続きだが、イギリス人にプライバシーのタブーを破らせるにはこの方法しかない。

最も無口で抑制のきいたイギリス人を捉まえて、このテクニックでどこまで彼らの口を割らせることができるか、やってみるのはおもしろい実験である。わたし自身イギリス人なので、わたしにとっては現実の私生活について何かを開示するよりも、「個人情報」をでっちあげるほうが楽である。このような欺瞞的手段を白状することで、わたしの研究に泥を塗るのは残念だが、自分がついた嘘の数々を言わなければ、わたしはこの本で自分の研究をありのままに示していることにならないだろう。

プライバシーの例外

活字という例外

プライバシーの決まりには奇妙な例外があり、それは主としてイギリス社会のある特権的な人びとにしか適用されないにせよ、イングリッシュネスにかんしていくばくかのことを教えてくれるので、触れておく必要がある。わたしはそれを「活字という例外」と呼ぶ。つまり活字（新聞、雑誌、本など）の世界では、たとえばパーティで新たに知り合いになった人などには話さないような、私的な事柄を取りあげるということである。奇妙で、倒錯的にさえ見えるかもしれないが、どういうわけか自分の私生活の詳細を漏らすのは、小さな社交的集まりという公共から遠い場よりも、本、新聞のコラム、雑誌記事などのほうがやりやすい。

実際これは例外が存在することでルールの存在が証明されるという実例である。つまりこれが例外であるのは、告白的ジャーナリズム記事や他の赤裸々なストーリーが、日常生活でのイギリス人の行動のルールに大きな影響を及ぼさないからである。新聞や雑誌のコラムニストは何百人もの赤の他人に向かって、自分の離婚の泥沼や、乳癌、摂食障害、体にできた脂肪の塊のことなどを書くかもしれない。しかし彼女は私的な社交場面で見知らぬ人に、そのような事柄にかんして個人的に質問されるのをよしとしないだろう。彼女のタブー違反は完全に職業的なもので、実生活では他の人びとと同様に、イギリス的プライバシーと距離のルールを守り、親しい人とだけ私生活にかかわる話をし、内輪の人間以外からの個人的質問は無礼でお節介だとみなす。職業的なトップレスのモデルに向かって、家族の日曜のランチの集まりで、上半身の露出を求めることはしないように、私的なパーティでカナッペを食べながら、職業的告白屋に私生活の話を求めはしない。

活字という例外は、時にテレビやラジオのドキュメンタリーやトークショーのようなほかのメディアにも及ぶことがある。だが一般的に、イギリス人の職業的告白屋は活字ほどには、これらの場面で自分をさらけだすことはしない。奇妙な現象だが、イギリス人の告白屋は、非常に暴露的な本やコラムを書いたにもかかわらず、トークショーでそれについて訊かれると、恥ずかしがり当惑して、冗談や遠まわしの言い方に逃げこむ。告白屋たちがそのような場面で打ち解けずガードが固いというよりも、書きことばと話しことばのあいだには抑制の解除にかんして、微妙だが注目すべき差が存在するのだと思われる。この微妙な差にとらわれず、ドキュメンタリーやトークショーで私的な事柄を自由に喋る人たちでさえ、テレビやラジオを離れればプライバシーのルールに従っている。

もちろん、他国と同様イギリスにも、「一五分間の名声」を得るために、人より優位に立つために、あるいは金を得るために、ところかまわずどんなことであろうと口にし、暴露する人びとがいる。また他国と同様イギリスにも、そのような人びとのために場所を提供する人びとがいる。現在では『ジェレミー・カイル・ショー』（アメリカの『ジェリー・スプリンガー・ショー』をもっとおとなしくしたイギリス版）は『ビッグ・ブラザーズ』のような「リアリティ・ショー」と並んで、そのような目的に応える人気テレビ番組である。

だがこうしたあくどいやり方でプライバシーのルールを破る——これは明らかに例外でなく違反である——者はごく僅かで、彼らの狂態は普通人びとに嘲笑される。プライバシーは依然として規範である。

インタネットという例外

この一〇年ほどのあいだに、「活字という例外」の範囲は拡大して、インタネット上の文字——ブログ、オンライン・フォーラム、チャット、フェイスブックやツイッターのようなサイト——をそのなかに含むようになった。著名人も一般人も定期的に——時に嘆かわしいほどまでに——ツイート、フェイスブックをはじめオンラインのチャットで、見知らぬ人に向かって一対一では打ち明けないような個人的な事柄を詳しく書いている。活字という例外はこうして大衆化された。今ではそれは、本や新聞という従来のメディアに告白的な文章を掲載する著作家、ジャーナリスト、有名人のみならず、インタネットにアクセスできるすべての人びとのものである。

「活字という例外」に見られた作法は、「インタネットという例外」にも当てはまる。ネット上の「友だち」は自分の私生活をネット上で打ち明けるからといって、顔を合わせた相手にそうした事柄を話すわけではない。逆に彼らはそういう話題をもち出されるだけで不快に感じるだろう。サイバースペースが抑制を解除された場であること、そこでのコミュニケーションと実生活でのそれとのあいだに断絶があることは、イギリスにかぎらず他の文化も同様である。しかしその差はイギリス人の場合ことに顕著である。彼らがインタネット上では喜々として抑制を捨てる一方で、一対一の会話はプライバシーという決まりに固く縛られているからである。

イギリス人のゴシップにおける性差

社会通念とは異なって、研究者によれば男性も女性と同様にゴシップをする。あるイギリスでの調査[7]では、男性と女性は会話のなかで同じだけの時間（約六五パーセント）を人間関係のような社交的話題に費やしている。別の研究によれば性差は非常に小さく、ゴシップは男性の会話の五五パーセント、女性の会話の六七パーセントを占めるという。スポーツとレジャーが会話の約一〇パーセントを占めることが示されているので、この差はサッカーの話題に由来すると考えられる。

調査によれば、男性が女性よりも、政治、仕事、芸術、文化的事柄のような「重要」で「高尚」な問題を多く話し合うわけではない。ただし女性と同席しているときは別である（これは驚くほどの変化である）。自分たちだけのときには、男性が仕事や政治のような非個人的話題に費やす会話の時間はせいぜい五パーセントで、あとはゴシップである。男女が混じっていて、女性に自分を印象づけたいときにのみ、より「高尚」な話題が男性の会話に占める割合は一五から二〇パーセントくらいに劇的に跳ね上がる。

実は男性のゴシップと女性のゴシップとでは内容にかんして、ひとつだけ重要な違いがあることを調

7　携帯電話で交わされるゴシップの調査をおこなったロビン・ダンバー教授のチームと、わたし自身のＳＩＲＣ（社会問題調査センター）の研究班が含まれている。

査は明らかにしている。男性は女性とくらべて自分のことを話すということである。人間関係についての会話で男性は三分の二の時間、自分自身のことを話しているのにたいして、女性は三分の一の時間しか自分の話をしない。

このような調査結果にもかかわらず、男性は会話で「世界の諸問題の解決」をはかろうとしているのに反して、女性はキッチンでゴシップをしているという神話が、ことに男性間で広く信じられている。ディスカッション・グループやインタビューにおいて、大部分のイギリス人男性は自分たちがゴシップなどしない、と最初は主張し、大部分の女性は自分たちはゴシップをすると、即座に認めた。だがさらに質問をすると、両性間の違いは行動というよりも用語の問題であることが明らかになった。女性たちははばかることなく「ゴシップ」と言うが、男性たちはそれを「情報の交換」と呼ぶ。

明らかに、イギリス人男性のあいだではゴシップは好ましからぬものとされており、たとえゴシップをしていようとも、それは別の名で呼ばれるべきだという暗黙のルールが存在する。たぶん重要なのは、それがゴシップのように聞こえてはならぬ、ということであろう。ゴシップについての調査でわたしが発見したのは、ゴシップにかんする男女間の主要な違いは、女性のゴシップがいかにもゴシップだという話され方をするということである。そこには三つの重要な要素が含まれているように思われる。声のトーン、ディテール、フィードバックについての決まりである。

声のトーン

わたしがインタビューしたイギリス人女性は皆、特定の声のトーンがゴシップにふさわしいという点で意見が一致していた。ゴシップ・トーンとは高い声で早口で、時には聞えよがしのささやき声で、だが常に生き生きと話すこと。「ゴシップはこんなふうに（早口で高い声で興奮した調子で）「ねえ、聞いて。聞いて」と始まります」ある女性は説明した。「さもなければ「ちょっと、聞いて、（早口で勢いこんだささやき声）あたし、聞いちゃった」というふうに」。別の女性は言った。「実際にはそれほどでなくても、驚くべきニュースかスキャンダルのように切りださなくちゃ駄目です。そしてこんなふうに続けます。「誰にも言っちゃ駄目よ、実は……」実際にはそれほどの秘密でない場合でもね」

男の人たちは適切な声のトーンを使わず、他の情報を伝えるときと同じ平板な、感情のこもらない話し方でゴシップをします、とインタビューのなかで多くの女性が不満を述べた。「ゴシップだとはわからないような話し方なんです」とある女性は言ったが、もちろん男性はそういう印象を与えたいのだ。

ディテール

女性はまた、ゴシップのさいのディテールの大切さを強調し、この点でも男たちの欠点は「ディテールを知らないことだ」と言った。あるインフォーマントが言うには「男の人は「彼がああ言った、彼女がこう言った」というふうに話しません。人がなんと言ったかわからなければ意味がないのに」。別の女性によれば「女性たちのほうが、あれこれ詮索をします……だれそれがなぜそう言ったのか、とかそこまでには何があったのか、話すでしょう」。女性にとっては、あり得る動機や原因について、過去の「経緯」をくまなく掘り起こしながらの微細な詮索が、将来の成り行きについての事細かな憶測と同様に、ゴシップの欠くべからざる要素である。イギリス人男性はそのようなディテールを退屈で、筋違いで、男らしくないことだと感じている。

フィードバック

イギリス人女性のあいだで了解されていることだが、「よいゴシップ」の条件は生き生きとしたトーンとディテールの重視だけでは十分ではない。さらに必要なのはよい聴き手で、よい聴き手とは話をよく理解し、適切なフィードバックを十分にする人のことである。女性のゴシップにおけるフィードバックの決まりは、聴き手が少なくとも話し手と同程度に気乗りして盛り上がっていなければいけないということである。理由はそうすることが礼儀にかなうというだけであろう。話し手は自分の情報がスキャンダラスで相手を驚かせるようにと骨を折っている。とすれば聴き手はそれにふさわしくショックを受けた様子を見せることによってお返しをするべきである。わたしの女性のインフォーマントたちによれば、イギリス人男性はこのルールがわかっていないらしい。彼らは「まさか！　嘘でしょ？」とか「オーマイゴッド！」と言うべきだということがわかっていない。

しかしながら女性のインフォーマントたちは一致して、女性にとっては当然の、このような態度で男が応えたら、どうしようもなく少女的あるいは嫌みなほど女っぽく見える、と言う。わたしがインタビューしたゲイの男性でさえ、「まさか！　嘘でしょ？」ふうの応答をすればこれ見よがしのゲイとみなされると述べていた。とりわけおもしろいゴシップを耳にしたとき、男性がショックと驚きを表現することを、エチケットが認めていないのではない。ただそのような驚きは、適切な間投詞を用い、男性らしいと公認されている仕方で表現されるべきだと一般に了解されている。

イギリス人男性：感情表現および三つの感情のルール

ゴシップにまつわる性差が、「ゴシップは女のもの」という神話の根強さの説明になるかもしれない。高い声で口早に勢いこんで話す様子や「ねえ、聞いて。聞いて」とか「まさか！　嘘でしょ？」などの頻発をゴシップと結びつけるならば、少なくともイギリス人男性の会話は、たとえその内容がゴシップと同じであるにせよ、まずゴシップのようには聞こえない。ゴシップをしているイギリス人男性たちは、「重大な問題」（あるいは車かサッカー）の話をしているかのような印象を与えるが、まさしくそれが彼らの狙いなのだ。

こうしたルールや性差はイギリス人にかぎったものではないかもしれない。たとえばディテールにかんするルールは、女性に見られる普遍的な特徴かもしれない。女性のほうが男性よりもことばを操るのが巧みであることは周知の事実である。同様の調査をおこなうならば、アメリカとおそらくオーストラリアでも、女性のほうが生き生きした会話をするという結果が出るだろう。だがこの二国は少なくともある程度はイギリス文化の影響を受けた国である。他のヨーロッパの国ぐにでのわたしの調査は、（より限定的であることを認めねばならないが）男性にそれほど抑制がなく、ずっと生き生きと社交的な事柄を話すことを示している。たとえばフランスでは「まさか（ノン）！　嘘だろ（セ・パ・ヴレ）？」とか「ああ、神様（モン・デュー）！」は、スキャンダラスなゴシップにたいする男性の反応として、まったくノーマルで違和感を抱かせない。同様に生き生きした男性のゴシップをイタリア、スペイン、ベルギー、オランダ、ポーランド、レバノン、アルバニア、ギリシア、スイス、ロシアでも聞いたことがある。

これらの国の男性たちがイギリス人男性とくらべて、女のように見えることを意に介さない、というのではない。男らしくないと思われる恐れは、疑いなく文化を超えた普遍的現象である。イギリス人（加えて英語を話す、イギリスの植民地の子孫）たちだけが、生き生きとしたトーンや表現豊かな応答を女のようだとみなしているようである。

イギリス人の会話の決まりが、男性に感情表現を許さないというつもりもない。イギリス人男性は感情表現を認められている。というのは、いくつかの感情を表現することを認められているという意味である。正確に言えば感情は三つ、驚き（罵りことばで表現されねばならない）、怒り（普通は驚きと同様の仕方で表現される）、高揚感／勝利感で、これもしばしば声をあげたり罵ったりをともなう。このためにイギリス人男性が三つのうちのどの感情を表わそうとしているのかは、しばしば特定しにくい。

絆（ボンド）を深めあう会話

イギリス人のボンディング・トーク〔絆を深めあう会話〕もグルーミング・トークの一種である。これもまた大部分性差に支配されており、男性のボンディング・トークは女性のそれと非常に異なっている。とはいえ根底にあるルールは明らかに同じ基本的価値観を反映しており、イングリッシュネスの「決め手となる特徴」と言えるかもしれない。

女性のボンディング・トーク――褒めことばのやりとり

イギリス人女性のボンディング・トークはしばしば褒めことばの儀式的なやりとりから始まる。事実、この儀式は二、三人の女性が集まるほとんどすべての社交的な場で見られる。パブ、レストラン、コーヒーショップ、ナイトクラブで、競馬や他のスポーツ観戦の場で、劇場、コンサート、婦人会（ＷＩ）の会合やバイカーのラリーで、ショッピングセンターや街角で、バスや電車で、学校の運動場、大学のカフェテリア、オフィスの簡易食堂で、わたしは女性同士の褒めあいの儀式を耳にした。男性を同伴している場合には、この褒めあいの儀式はやや短く切りあげられる傾向があるが、女性たちはしばしば女性用トイレで（そう、わたしはついていったのだ）その儀式の続きをやっている。全員が女性の場合には、堂々と完全版が演じられる。

この儀式の数多くのバリエーションを観察し、しばしばわたし自身それに加わって、気がついたことは、褒めことばは恣意的にではなく、わたしが「褒めかえすルール」と名づけるに至ったルールに沿って、しばしば明白なパターンに沿って交わされるということである。パターンは以下のようである。皮切りは「今度の髪型いいわね」のようなストレートな褒めことば、あるいは褒めことばプラス自分をけなすことば「あなたの髪、すてき。わたしもそういうゴージャスな髪だったらよかったのに。わたしの髪の毛ときたら艶がなくていいところがなくて」である。褒めかえすことばは上のどちらにたいしても「まあ、そんな。わたしの髪なんかひどいものよ。すごい縮れ毛で。あなたみたいにショートにできたらいいんだけれど、わたし頬骨が貧弱で。あなたの頬骨みたいにかたちがよくなくて」これにたいしてさらなる自己卑下的なコメント、それにたいしてさらなる褒めことば、また卑下、また褒めことば、というふうに続く。おもしろくウィットに富んだ自己卑下のコメントをすることで社交的「点稼ぎ」ができる。イギリス人女性のなかにはこの種のユーモラスな卑下を芸術の域に高めた者もおり、彼女らの自分けなしゲームには競いあいの要素さえ存在する。

この会話は髪に始まって、靴やタイツ、職業上の業績、体型、人づきあいのうまさ、うまくいったデート、子どものこと、能力や教養へと及ぶかもしれない。だがパターンは不変である。どのような褒めことばも黙って受け取られることはなく、どのような自己卑下的コメントも看過されることはない。褒めことばがあまりに的を射ていて、型どおりの平凡な、あるいはおどけた否定で受け止めることができない場合には、「まあ、どうも、あの……」などときまり悪げに早口で話をそらし、何か自分をけなすようなことを言うか、ルールどおりに相手を褒めるか、少なくとも話題を変えようとする。

イギリス人の女性たちに、どうして褒めことばをそのままに受け入れないのかと尋ねると、彼女たちは普通、その特定の褒めことばを改めて否定するか、しばしばお返しの褒めことばを返そうとした。ルールがいかに深く根づいているかは確認できるにしても、これではまったく答えが得られないので、わたしは質問をより一般化して彼女たちの会話でわたしが観察したパターンについて述べ、もし誰かが褒めことばを修正を加えずに受け取り、お返しに何も言わなかったらどう感じますか、と訊いてみた。代表的な答えは、それは失礼で、非友好的で、傲慢だというものだった。「自慢と同じくらいいけないです」とある女性は言ったが、それがやや極端な意見だとしても、そのような人は「自分を過大評価している」とも思われるだろう、というのが大方の反応だった。「そういう人はイギリス人じゃありませんね」とひとりの女性は答えたが、それは出まかせではなく、そのとおりであるとわたしは確信する。

男性のボンディング・トーク――「ぼくのもののほうがきみのよりもいい」

褒めことばを言い合う儀式はきわめてイギリス的だが、同時にきわめて女性特有のものである。男同士が、イギリス人男性でさえも、次のような会話をしているところは想像だにできない。「きみくらいビリヤードがうまいといいんだが。ぼくはからきし駄目でね」「いや、本当は下手で、さっきのはまぐれですよ。きみはダーツがうまいですね」こんな会話でも時には通用すると思うなら、次のような会話はどうだろう？「きみは運転がうまいね。ぼくはいつもエンストして、ギアを間違えるんだ」「ぼくが？とんでもない。正直言ってぼくの運転はひどい。それにきみの車はぼくのよりずっと上等だ。ずっと速く走れて馬力がある」こんな会話はありそうもない。

イギリス人男性は女性とは異なるやり方で絆を深め、そのやり方は一見、女性の褒めあいの原則とは正反対のように見える。イギリス人女性が懸命に褒めことばを交わしあうのと逆に、イギリス人男性は普通、「自慢のゲーム」とでも言うべき競いあいの儀式で相手を貶める。

この場合「ぼくのもの」は何でもよく、車の造り、サッカーのチーム、政党、旅行の目的地、ビールの種類、哲学理論――主題は重要ではない。イギリス人男性は主題が何であろうと、ほとんどすべての会話を「自慢のゲーム」に変える。わたしはあるとき、普通の剃刀と電気剃刀のどちらがよいか、をめぐって、「ぼくのもののほうがよい」という四八分の会話（わたしはきちんと時間をはかった）を聞いたことがある。より「高尚な」話題をめぐるやりとりも同じである。『タイム誌文芸付録』の、読者からの投稿欄でおこなわれたフーコーをめぐる長い論議も、剃刀論議とまったく同じで、相手を貶めるパターンに沿っていた。

このゲームのルールは以下のようである。まず自分が選んだもの（電気剃刀、マンチェスター・ユナイテッド、フーコー、ドイツ製の車などなど）を称賛するか、あるいは「ぼくのもの」は最高だと主張したり仄めかしたりする相手に異議を唱える。相手の男性が密かに自分に同意しており、理にかなった反撃ができない場合でさえ、こちらの主張は必ず反駁され、挑戦を受ける。「同じ値段でＢＭＷが買えるのに、どうしてあんなダサい車を買ったんだい？」と言われた相手が「そうだね、きみの言うとおりだ」と答えるような、男性同士のボンディング・トークは想像できない。そのような応答は想定外で、男性的礼儀にたいするこのうえない冒瀆である。

けなしあいのやりとりが激しくなり、たくさんの罵りあいが生じても、「自慢のゲーム」はかなり和気あいあいと友好的に続くだろう。底にはユーモアがあり、見解の違いをそれほど重大に受け取るべきではないという相互の了解が存在している。罵るのも馬鹿にするのも軽蔑するのも自由でむしろ当たり前だが、腹を立てて出ていくなど生の感情をむき出しにすることは許されない。すべては怒ったふり、憤慨のふり、冗談めかした自慢のやりとりである。自分が擁護する製品、チーム、理論、あるいは髭剃りの仕方にかんしてどれほど思い入れがあるにせよ、その感情をむき出しにしてはならない。むきになることは禁物で、過度の熱中は男らしくない。両者とも非イギリス的で嘲笑を招くだろう。また彼らのやりとりを自慢のし合いと呼んだことで、高慢の印象を与えるかもしれないが、高慢もご法度である。自分の車、剃刀、政治的見解、文学理論の流派の長所を細部にわたって説明し絶賛するのはよいが、それらを選んだ自分のセンス、判断、知性の優秀さは、ストレートに表現するよりも、それとなく仄めかすのがよい。過大な自己表示や自己誇示は、それが明らかにジョークであるような誇張したやり方で「アイロニカルに」なされるのでないかぎり、厳しい非難を浴びる。

このゲームに勝ち負けがないことも一般に了解されている。誰も降参したり、相手の見解を受け入れたりはしない。当事者たちは単に飽きるか疲れるかして、たぶん相手の愚かさを憐れむように首を振りつつ話題を変える。

自慢ゲームは男性だけのゲームである。同伴者の女性たちはルールを誤解し、理性という要素を注入しようとして、ときどき座を白けさせる。彼女らは儀式の決まり切った進行にうんざりし、もうそこでやめたら？　と言うなど、考えられないようなことさえしでかす。こうした口出しは普通無視される。苛立つ女性たちがわかっていないのは、そのような議論には理性的解決はあり得ないし、当事者たちに問題を解決しようという気持ちもない、ということである。このような男性同士のやりとりは、サッカーのサポーターたちの応酬と同様に純粋な議論ではなく、サッカーファンはその儀式的応酬によって相手方が自分たちに合意してくれることを期待することはない。（だが、イギリス人女性たちのボンディング・トークがすべて「甘く優しい」ということではない。一般的に男性のそれよりも競争的ではないが、わたしが記録しているボンディング・トークのなかには――話しているのは主として若い女性だが、すべての社会階層に及んでいる――かなりの皮肉を帯びたけなしあいに終始し、当事者同士が明らかに見てとれる愛情をこめて、互いに「ビッチ〔ばいた〕」とか「スラッツ〔あばずれ〕」とか呼びあっている例もある。）

ボンディング・トークのふたつの例――褒めあいと自慢しあい――は一見非常に異なっているように見えるし、事実それは男性と女性の深部に存在する普遍的な違いを反映しているかもしれない。社会言語学の分野での多くの調査はこの〈競争的／協力的〉相違に焦点を当てており、より極端な「ジェンダー別言語」の理論をもち出さずとも、女性のボンディング・トークは調和と協力を含むのにたいして、男性のボンディング・トークはしばしば競争的になりがちだということは明らかである。

しかしこれらのボンディング・トークの儀式は、その根底に存在するルールと価値観において、ある重要な特徴を共有しており、それはイギリス国民性について多くを教えてくれる。たとえば両者とも高慢を非とし、ユーモアを是としている。両者ともある程度の礼儀正しい偽善――少なくとも自分の本当の考えや感情の隠蔽（褒めあいの儀式においては称賛を装い、自慢のし合いにおいてはこだわりのなさを演出し）を必要とし、どちらの場合にも真理や理性よりも礼儀が大切とされている。

そして最後に……長い（ロング・グッドバイ）お別れ

グルーミング・トークを扱ったこの章は出会いの挨拶で始めたので、別れの挨拶でしめくくるのが適切である。イギリス人は出会いのときよりも別れのときのほうが手際がよいというプラスのイメージを与えられればと思うのだが、事実はわれわれの別れ際も紹介のさいと同様に、不器用でぎごちなく要領が悪い。ここでも挨拶のさい、誰も何を言ったらよいかわからず、握手をしかけてやめたり、ぶざまに頬をぶつけたり、言いかけたことをうやむやにしたりする。唯一の違いは、出会いの挨拶ができるだけ早くぎごちない場面を終わらせようとしてそそくさと終わるのにたいして、あたかもそれを補うかのように、別れの挨拶はしばしばうんざりするほど長いということである。

退去するさいの第一段階は、今述べたことと正反対の、見苦しい慌て方である。誰もが「ホストがげんなりするほどの長居」（プライバシーへの重大な違反）をすることを恐れて、最後の客になるまいとする。したがってひとりが、あるいはカップルか家族かが立ちあがって、帰りの交通の都合や、ベビーシッター、時間の遅さなどを弁解のように口にすると、他の皆はすぐさま腕時計に目をやって驚きの声をあげ、飛び上がってコートやバッグを探しはじめ、第一段階の暇乞いをする。（「お目にかかれて幸いです」は出会いの挨拶としては問題があるが、ここで紹介された人たちと別れる場合には、たとえほんの僅かしかことばを交わさなかったとしても、「お会いできてよかったです」は妥当である。）イギリス人の家庭を訪問している場合には、第一段階のさよならの挨拶から最後に家を出るまで、たっぷり一〇分は——それは往々にして一五分、二〇分になる——かかることはわきまえておいたほうがよい。

俳優でミュージシャンのダドリー・ムーアが、華麗で自己陶酔的なロマン派の作曲家たちを揶揄したピアノの小曲がある。曲は終わりに来たように響き続けるが（ダ、ダ、ダン）、そのあと顫音（せんおん）の旋律がさらなるドラマティックな「終局」へと導き（ラリ、ラリ、ダ、ダン、ダダーン）、そのあとさらに「終局的な」響きの和音が来て（ダ、ダーン）、そのあともそんなふうに続く。この曲は互いに別れの挨拶を交わすイギリス人たちの典型的な場面を彷彿とさせる。最後の挨拶をし終えたと思ったとたん、きまって誰かが「それじゃ、またすぐに……」と言いだし、コーラスのように皆いっせいに言いだす。「そうですよ、ぜひまた、その、さよなら」「さよなら」「ほんとにありがとう」「楽しかったわ」「まあ、そんな……こちらこそありがとう」「じゃ、さよなら」「そう、もう行かないと渋滞が、その……」「寒いからもうなかにお入りになって」「いいえ、大丈夫ですよ」「では、さよなら」すると誰かがきまって言う。「今度はうちにぜひいらしてくださいね」とか「では明日メールしますね」。そんなふうに最終のダ、ダーンがまた始まる。

客たちは早く帰りたくてしかたがない。玄関口で見送る側は早くドアを閉めたくてしかたがない。だがそのような感情を少しでも示すことは礼儀に反するので、誰もが不承不承別れるのだということを大げさに表現する。最後の、最後の、最後のさよならを言って、皆が車に乗りこんだあとでさえ、車の窓をおろしてまた別れ際のことばが交わされる。去ってゆく者たちが、手を耳にもってゆき、また電話しますと身ぶりで約束することもある。そのあと、車が完全に遠ざかるまで、両方の側はいつまでも手を振って、身ぶりでさよならを伝えるのが常である。長いさよならの試練が終わると、皆くたびれて安堵のため息を漏らす。

そのあとでたいがい、つい今しがた別れるのに耐えられないようだった相手方について、人びとは文句を言いはじめる。「ああ、帰ってくれないんじゃないかと思ったよ！」「ジョーンズ夫妻はふたりともいい人だけど、彼女はちょっと喋りすぎる」。集まりを心から楽しんだあとでさえ、長い別れの挨拶のあと口にする満足には、おやもうこんな時間か、疲れたなあ、お茶かお酒がほしいわ、そしてお客が帰って自分たちだけになるのは（あるいは、自分のうちの自分のベッドに戻るのは）なんといいことだろうという、ため息半分のことばが混じっている。
それにもかかわらず、何らかの理由で長い別れの挨拶が短く切りあげられると、イギリス人は不快で不満で、自分がルールを破った場合にはうしろめたさを、相手側がそそくさと別れを告げれば腹立たしさを感じる。ルールが破られたことをはっきりと意識しないまでも、何か違和感を、さよならの言い方が適切でなかったことを感じる。このようなことのないように、イギリス人の子どもたちは幼いころから長いさよならという礼儀をしつけられる。「さあ、おばあちゃんにさよならを言って」「なんと言うの？　おばあちゃん、ありがとうでしょ」「ジェーンおばちゃんにさよならを言って」「駄目、駄目、もっとちゃんと言いなさい！」「ピクルズにもバイバイね」「さ、帰りますからもう一度さよならを言って！」「さあ、さあ、手を振って、手を振ってバイバイをして！」[8]
イギリス人はしばしば、この儀式を「グッバイを言う」ではなく「グッバイズを言う」と複数形を使って表現する。「駅まで見送れないので、ここでグッバイズを言いましょう」というふうに。これについてアメリカ人の旅行者と話したとき、そのアメリカ人が言うには「初めてその表現を聞いたとき、わたしはグッバイズという複数の意味がわかっていなくて、ひとりがひとつグッバイと言うから、何人か

8　驚くに値しないことだろうが、子どもたちのなかには、ことに十代の子たちのなかにはこの儀式に参加することを拒絶して、しばしば「じゃ」と言ってバタンとドアを閉めるような、極端なふるまいをすることで年長者たちを怒らせる、そんな時期を通過する者もいる。ほどよい中間はないようである。

いれば複数なのかと思いました。今ではひとりが何度も何度もグッバイを言うからだと納得していま す」

グルーミング・トークとイングリッシュネス

天候の話は、すでにイングリッシュネスの「文法」についていくつかの手がかりを与えたが、グルーミング・トークにかんする諸ルールもまたわれわれが探求しているイングリッシュネスを定義する助けとなる。

紹介のルールは、天候の話が社会的抑制にかんして明らかにしたことを裏づけ、「潤滑油」なしにはイギリス人が抑制や禁忌を克服できないことを示している。ぎごちなさ、きまり悪さ、社交的不器用さという傾向が、この段階でわれわれの「文法」に加わる。そのような傾向がイギリス人の人間関係のすべての局面に重大な影響を及ぼすのは確かであるから、それは文法の大事な要素である。

名前を名乗らぬというルールはイギリス人のプライバシーへのこだわりと、用心深さ、打ち解けにくさをクローズアップする。ここで初めて、イギリス人の作法の内向的で不合理な「鏡の国のアリス」的な性格も暗示されている。「お目にかかれて幸いです」をめぐる問題は、階級意識がイギリス人の生活と文化のあらゆる部分に染みとおっていること、にもかかわらずわれわれがそれを認めようとしないことを物語る最初の例である。

ゴシップのルールは、いくつかの重要な国民性を明るみに出す。そのなかで最も顕著なのはまたしてもイギリス人のプライバシーへのこだわりで、それは推理ゲームのルール、距離のルール、活字メディアの「例外によって存在が証明される」ルールによって強調される。ゴシップのルールにおける性差は、いかなる文化においても、女性にとってのルールが男性に通用するとはかぎらないことを想起させる。これは明白な事実に見えるが、初期の文化人類学者がしばしば無視し、イギリス国民性についてコメントする人びとが今日でもときに認めようとしない現象である。両者とも「男性のルール」が「普遍的ルール」であると考えがちである。たとえばイギリス人の日常会話は生彩がなく盛り上がりに乏しいと思う人は、イギリス人女性同士のゴシップを聞いたことがないに違いない。遠慮と抑制という一般的ルールはこの場合は男性のゴシップにだけ当てはまる。

ボンディング・トークも男女差を際立たせる。だが表面の著しい（人を惑わしがちな）違いの下に、男性用ルールと女性用ルールは、共通点をもっていることがわかる。すなわち自慢を禁じ、ユーモアをよしとし、「大真面目」になることを避け、礼儀にかなう偽善を装い、理性よりも礼儀を上位に置く態度である。

最後に、長いさよならもまた、イギリス人の人間関係においてきまりの悪さ、不器用さが大きな部分を占めていることを――出会いの挨拶や暇乞いのような簡単な事柄を合理的に優雅におこなうことができないというイギリス人共通の特長を――示す。同時にイギリス人の、不合理にも過剰な礼儀正しさについての、際立った実例である。

3　ヒューモア（ユーモア）・ルールズ

このタイトルはふたつの意味に解釈できる。「ユーモアにかんするルール」というストレートな意味と、「ユーモアが支配する、当然だ！」という政治スローガンの落書き（今ではやや時代遅れの）ふうの意味だが、実際には後者のほうが適切である。というのも英国人の会話におけるユーモアについての最も顕著で重要な「ルール」はユーモアが会話を支配し浸透している、という現象だからである。ユーモアは支配し、統率する。ユーモアは遍在し万能である。この本では、最初ユーモアを独立した章にするつもりはなかった。ユーモアは、階級同様、イギリス人の生活と文化のあらゆる局面に浸透していて、それゆえ当然のこととして、本のどの箇所であろうと出現する、と考えたからである。確かにそのとおりだが、困るのはイギリス人のユーモアがいたるところに浸透しているために、われわれの日常におけるその役目を説明しようとすれば、一段落おきにユーモアについて語らねばならず、そんなことをすれば最後には読者は飽き飽きするだろう。それで結局ユーモアについての一章を設けることとした。

イギリス人のユーモアのセンスにかんしては、馬鹿げたことが多く語られており、そのなかには、彼らのユーモアのセンスがユニークで他の追随を許さないという愛国的コメントも含まれている。イギリス人の多くは、ユーモアそのものと言わぬまでも、少なくともユーモアのいくつかのブランド——ウィットとりわけアイロニーという高級ブランド——を自分たちが地球上で独占しているのだと思っているようである。調査の結果わたしが得た結論は、イギリス人のユーモアには際立ったものがあるにせよ、その決定的な特徴は、イギリス人がユーモアに付与する価値と、イギリスの文化と人間関係においてユーモアが中心的な位置を占めている、ということである。

イギリス以外の文化では、ユーモアに割り当てられた「時と場所」がある。つまりユーモアは特別で、種類を異にするトークなのである。だがイギリス人の会話では基底に常にユーモアがある。「ハロー」であろうと、天候についての話であろうと、イギリス人はそこからジョークを僅かでも作り出そうとする。であるからイギリス人の会話のほとんどに、少なくとも何らかの冷やかし、からかい、皮肉、過少化した表現、ユーモラスな自己卑下、嘲り、などがつきまとう。いうなれば、ユーモアはイギリス人の「初期設定」なのだ。ユーモアというスイッチを意図的にオンにする必要はなく、それをオフにすることはできない。イギリス人にとっては、ユーモアのルールは文化の領域で自然の法則に匹敵するものである。彼らは重力の法則に従うと同じように、ユーモアのルールに従っている。

むきにならないこと

最も基本的なレベルにおいて、イギリス人の会話すべての根底には「むきになること」をよしとしない態度がある。イギリス人はユーモア、ないしアイロニーを独占していないまでも、おそらく他のどの国民よりも「真面目」と「むきになること」の違い、「誠実」と「しかつめらしさ」の違いにかんして敏感である。

どのような角度からイギリス国民性を理解するにせよ、この区別は重要で、これは強調してもしたりない。この微妙な、だが肝心の区別が理解できなければ、決してイギリス人を理解できず、たとえ英語を流暢に話せたとしても、イギリス人相手に完全にくつろぐことはできないし、よそ目にもそうは見えないだろう。英語は完璧でも、ふるまい方の「文法」がひどく間違っているからである。

ひとたびこれらの違いに敏感になれば、「むきにならない」というルールはいたって簡単である。真面目はよいがむきになってはいけない。誠実は許容されるが、しかつめらしさは厳禁である。真面目な事柄を真面目に話すのはよいが、決して自分をむきになって押し出さないこと。自分を笑う能力は、それが一種の傲慢さに由来している場合でさえ、イギリス人の愛すべき性質のひとつである。（少なくともこの点でわたしは間違っていないことを願っている[1]。もしわたしが自分を笑うイギリス人の能力を過大評価しているなら、この本は不評を招くだろうから。）

意図的に[2]極端な例を挙げるなら、胸に手を当てて大真面目で誓う行為や、ほとんどすべてのアメリカ人政治家たちが好むところの、しかつめらしく大げさに聖書を叩いてキリスト教を強調するしぐさは、イギリスでは一票も獲得できないだろう。イギリス人はニュースが伝えるそうしたスピーチを、距離を置いて自己満足的に眺め、こういう馬鹿げた政治家のふるまいにはまる群衆はなんとおめでたいのだろうと思う。自己満足的におもしろがっていないときには、イギリス人はきまりの悪い優越感で、身の置き所がないように感じる。どうしてアメリカ人政治家はそんな恥知らずでくそ真面目で陳腐な文句を、滑稽にもしかつめらしい口調で述べ立てることができるのだろうと。もちろん政治家が陳腐なことばを並べるのは当然で、イギリスの政治家もこの点は変わらないが、われわれを怯ませるのはむきになって訴える彼らの態度である。

同じことがオスカーや、他の賞の授与式のさい、アメリカ人俳優が感激の涙を流しつつスピーチをする光景にも当てはまる。イギリスじゅうのテレビ視聴者は喉に手をやって「吐きそう」というジェスチャーでそれに反応する。イギリス人のオスカー受賞者がこのような内心を吐露するしぐさをすることはめったにない。彼らは短くて威厳に富むスピーチをするか、あるいはユーモラスに自分を卑下する。その場合でさえ彼らはほとんど常に、きまりが悪く落ち着けないという様子を演出する。ケイト・ウィンスレットがしたように、このような不文律をあえて破る者は、新聞その他のメディアで容赦なく軽蔑され非難される。ゴールデン・グローブ賞のさいのウィンスレットの感極まったスピーチは、あるイギリスの新聞で「死体もきまり悪さのあまりたじろぐだろう」と書かれ、他の新聞はもっと辛辣だった。

実際ほとんどの感情表現は「むきにならないこと」というルールにたいする違反である。社会問題調査センター（SIRC）では「イギリス人の感情状態」についてある調査をおこなったが、そこで明ら

1　この本の第一版はよく売れたので心配は杞憂であった。
2　オバマ大統領は例外。それでもイギリス人の好みからすると、彼は少し熱意を示しすぎる。しかし時おりドライなウィットを見せるのでイギリス人は親しみを感じる。

かになったのは、イギリス人の意識と実際の状況下での彼らの行動の奇妙な不一致だった。イギリス人の大多数（七二パーセント）が感情を表現することは「健康的」であると答えているにもかかわらず、少数の人びと（二〇パーセント未満）しか直前の二四時間のあいだにいかなる感情表現もおこなっておらず、一九パーセントの人びとは最後に自分が何らかの感情を露わにしたのはいつだったかを覚えていなかった。（この結果を天候の話についてのわれわれの調査と比較してほしい。その場合には人びとの五六パーセントが直近の六時間以内に、三八パーセントは一時間以内に天候の話をしていた。）われわれイギリス人は近年感情に、ついて話すことは以前とくらべてずっとうまくなっている。今では誰もがセラピーにかんする専門用語を操り、「EQ（心の知能指数）」や「内なる子ども（インナー・チャイルド）」や自分の感情に「向きあう」必要を口にする。だがわれわれのほとんどはいまだ感情を表現することをしない。

アメリカ人が最もからかわれるが、イギリス人から冷笑を浴びる対象は彼らだけではない。指導者たちの感傷的愛国心、作家、芸術家、俳優、ミュージシャン、学者先生など、国を問わず顔を知られた人びとのもったいぶった真面目さは、イギリス人から同様の軽蔑と冷笑を受ける。彼らは離れたところからでも、映像の粗いテレビや、自分の知らない言語であっても、尊大さの気配を嗅ぎつけるのだ。

二〇〇五年七月七日にロンドンで起きたテロ――九・一一の縮小版ともいうべきこのテロは、ロンドンの地下鉄およびバスへの一連の自爆攻撃で、五六人が死亡、七〇〇人が負傷した――は、「むきにならないこと」というルールを鮮やかに例証してみせた。テロのあった日に、何人かの善意のアメリカ人がインターナショナル・ライブジャーナル・ウェブサイト上で「ロンドンは痛む」と題したフォーラムを立ちあげ「今日わたしはロンドン市民、今日わたしは痛む」という見出しを掲げた。すると世界中から涙と同情に満ちたメッセージや詩や祈禱が届きはじめた。しかし実際のロンドン市民からの即座の反応は、溢れんばかりの同情を寄せた人びとの予想を大きく裏切るものだった。そのほとんどすべてが揶揄と風刺だったのだから。イギリス人はセンチメンタルな見出しをたとえばこんなふうにからかった。「今日ぼくはロンドン市民、今日ぼくは休暇をとる」「今日きみたちがロンドン市民だというのなら、ひとりにつき渋滞税は八ポンド。さあ払いたまえ」[3]外国人たちが投稿した「精神高揚的な」甘ったるい詩は、次のような揶揄を誘い出した。

空襲、爆弾、何のその
徒歩でてくてく、電車でのろのろ
泥にまみれてがんばりました
（でも雪が降りゃおしまいだ）

イギリス人の反応は大多数が純粋に揶揄的だったが、中には「むきにならないこと」というルールをより直接的に表明したものもあった。「こういうたわ言はどうかやめてください。そんなものをわたしたちは求めていない。不要だし、誰もがきまりの悪い思いをするだけです」「アメリカ人よ、頭を冷やせ。（中略）しっかりしてくれ。ロンドンは平静で、フィッシュアンドチップスの店はいつ開くだろう、

3　ロンドン中心部に乗り入れるさいに課せられる料金。交通渋滞を緩和することを目的としている。

と皆待っている」「こういう気持ちの悪いバナーはバスの爆発よりはるかに意気を阻喪させる。お願いだからやめてくれ」

こうした反応がテロに巻きこまれなかった、冷ややかな傍観者たちの反応ではなかったことを、わたしは自分の経験に基づいて保証できる。テロの日わたしはロンドンにいて、パディントン行きの地下鉄を待っていた。わたしはテロの時間と爆破の対象となった列車を辛くも免れたひとりだった。ロンドンの家族や友人たちの無事をメールで確かめてから、わたしは実地調査態勢へと移行し、近くにいた乗客たちを観察し、その会話に聞き耳をたて、彼らと話をした。知らぬ相手には話しかけないというイギリス人のタブーを破ったわけだが、このような状況下では例外として許されるだろう。最初に耳にしたのはジョークだった。「フランス人どもがこんな汚い負け方をするとは！」（テロの前日、大方の予想を裏切って、パリではなくロンドンが二〇一二年のオリンピックの開催都市に選ばれ、フランス人はその結果に驚き失望していた。もちろんこのジョークが言うように腹いせにロンドンを爆破したわけではなかったが。）その場に居合わせた友人たちの信頼すべき証言によれば、フランスを槍玉にあげた同じようなジョークが、爆破された地下鉄駅で埃まみれで咳きこむ生存者のあいだでさえ聞かれたという。ユーモアの条件反射がもっと早く作動した者もいた。爆破された列車に閉じこめられたある生存者が伝えるところによれば、爆発直後濃い煙がたちこめた車内は「窒息した者の喘ぎや咳のほかは沈黙に包まれていた。するとわたしのそばにいた者が軽口をたたいた。「まあいいさ、オリンピックは取れたんだから」」

誰かが言ったように「喜劇とは悲劇に時間が加わったもの」であるにせよ、イギリス人が悲劇をユーモアに変えるために要した時間は一秒にも満たなかった。ことに「むきにならないこと」というルールは埃がおさまる前に実践されており、躍起になって「ロンドンは痛む」を強調しようとした人びとにはショックを与えたことだろう。ネット上のフォーラムを見るとその人びとへの同情を禁じ得ない。彼らの感情のほとばしりは親切心に発していて、イギリス以外の国であったなら大いに感謝されただろうから。

七年後のオリンピックの開会式もまた、イギリス式ユーモアを示す絶好の例で、自己嘲笑やむきになることへの嫌悪が遺憾なく表現されていた。開会式のスペクタクル的部分は、その場にふさわしく壮大で立派ではあったが、このような式典に普通つきものの過剰な尊大さや、もったいぶった演出は微塵も見られなかった。そのかわりにほとんどの場面に少なくともひとつアイロニックなひねりがあり、われわれはこんなことに過度に肩入れしているわけではありませんよ、というユーモラスな仄めかしが少なくとも一か所はあった。一例を挙げれば、ロンドン交響楽団による、よく知られた感動的な曲「炎のランナー」の演奏のあいだじゅう、コメディアンのローワン・アトキンソンはふざけたしぐさで、うんざりして心ここにあらずのミュージシャンを演じてみせ、感動を中和した。開会を宣言する女王が会場に到着するさいにさえ遊び心が発揮され、ジェイムズ・ボンドの映画をもじった場面で女王は楽しげに役を演じた。壮麗な愛国的ショーをやるつもりなら、オリンピックの主催はまたとない機会である。だがわれわれイギリス人はその機会を捉えて自分たちを嘲り、自分たちが最も大事にしている王室という制度を茶化した。

ここでもまた、イギリス人の自嘲は、あからさまな傲慢でないにせよ、ひとりよがりな自己満足に根ざしていると思われる。そのことは、開会式のほかの部分でも明らかに見てとれた。イギリスとイギリス人にかんして国際的に是認されているポジティブなイメージも登場したが、同時に暗く故意に醜悪で自慢にならないイメージが混沌のうちに提示され、不透明で偏狭な内容に気まぐれな内輪のジョークが盛りこまれており、他国の聴衆にはわけがわからなかった。事実、他の国々からやってきた好意的なコメンテーターでさえ、「わかりにくい」「奇妙だ」「奇怪だ」「真意がつかめない」「頭が混乱する」「正気ではない」「何じゃ、これは?」などと書き、もっと失礼なコメントもあった。だがそれはほとんどのイギリス人の気に入り、彼らは世界の人びとに通じようと通じまいと意に介さなかった。むしろ多くのイギリス人は通じないことを密かに喜んでいただろう。開会式であれほどの自己嘲笑、自己卑下、意味不明な自己評価やほしいままの奇癖を繰り広げた裏には、他者の(この場合には何十億という他者の)反応を思い切って無視する態度があり、それは深い優越感からのみ生まれ得るものなのである。

隠れた愛国心

愛国心の欠如がイギリス人の欠点だとよく言われる。それを証明する証拠もある。ヨーロッパでの調査によれば、イングランドの人びとの愛国心の度合いは一〇中五・八で、スコットランド人、ウェールズ人、アイルランド人の自己評価による度合いよりもずっと低く、ヨーロッパの国民のなかで最低である。イギリスの「国家記念日」ともいうべき聖ジョージの祝日は四月二三日だが、統計が常に示すのは、少なくとも国民の三分の二がその日にまったく無関心だということである。それほど多くのアメリカ人

郵便はがき

料金受取人払郵便

本郷局承認

4150

差出有効期間
2022年5月
31日まで

113-879[illegible]

東京都文京区
本郷2丁目20番7号

みすず書房営業部
行

通信欄

ご意見・ご感想などお寄せください．小社ウェブサイトでご
させていただく場合がございます．あらかじめご了承くださ

読者カード

ず書房の本をご購入いただき，まことにありがとうございます．

名

名

ず書房図書目録」最新版をご希望の方にお送りいたします．

(希望する／希望しない)

★ご希望の方は下の「ご住所」欄も必ず記入してください．

・イベントなどをご案内する「みすず書房ニュースレター」(Eメール) を
望の方にお送りいたします．

(配信を希望する／希望しない)

★ご希望の方は下の「Eメール」欄も必ず記入してください．

な) 前 様	〒

所 都・道・府・県	市・郡
	区

( )
ール

ご記入いただいた個人情報は正当な目的のためにのみ使用いたします．

とうございました．みすず書房ウェブサイト https://www.msz.co.jp では
書の詳細な書誌とともに，新刊，近刊，復刊，イベントなどさまざまな
内を掲載しています．ぜひご利用ください．

が七月四日を知らないとか、アイルランド国民が聖パトリックの祝日を見過ごすということがあるだろうか？

だがわたしは、参与観察による調査をとおして、イギリス人の愛国心の欠如と見えるものは、国民としての誇りがないというよりも、むしろ熱くなることへの嫌悪、およびそれと密接に関連したイギリス国民性の他の側面と関係があるのではないかと感じている。独自の調査のなかで、より詳細な設問をしてみると、イギリス人は実は「隠れた愛国者」なのだというわたしの印象が裏づけられた。わたしの調査の結果によれば、イギリス国民の断然大多数（八三パーセント）が少なくとも何らかの愛国的誇りを抱いており、うち二二パーセントは「常に」、二三パーセントは「しばしば」、三八パーセントは少なくとも「ときどきは」イギリス人であることを誇りに思っている。わたしの調査および他の多くの調査で、一貫して明らかなのは、イギリス人が最も誇りに思うイギリス国民性はユーモアの感覚だということである。

イギリス人の四分の三は国家の祝日を祝うために、もっと何かをするべきだと考えており、そのうち六三パーセントは、アイルランド人が聖パトリックの祝日を祝うように、聖ジョージの祝日を「記念」したいと思っている。半数近くが聖ジョージの祝日にもっと多くの人が国旗を掲げることを望んでいるが、自分で掲げようという人は一一パーセントにすぎず、その年の祝日が土曜日であったにもかかわらず、七二パーセントは何かをしてその日を祝うつもりも、そのような計画もないと答えている。

一体なぜ？　イギリス国民であることを誇りに思い、国家の祝日をもっと祝い国旗をもっと掲げるべきだと思うのなら、それならどうして自分で祝ったり、国旗を掲げたりしないのか？

調査結果の数字を念入りに見れば、その答えはおのずと明らかになる。

第一の手がかりは、われわれが最も誇りに思うイギリス国民性のなかにある。鍵となる要素は「むきにならないこと」の重要性、熱くなりすぎることを禁ずる態度である。他の国ぐにの傲慢で感傷的で国旗を振り回す愛国心を見ると、イギリス人は眉を顰め、尻込みをする。イギリス人であることを誇りに思うかもしれないが、われわれの大部分は愛国心を大仰にほとばしらせるには、あまりにとり澄ましており、あまりにシニカルで、言い換えれば熱狂は暗黙の厳禁であることを意識しすぎている。皮肉にも、われわれの最大の誇りであるユーモアの感覚というイギリス人の特性が、実際にはその誇りを表現することを妨げているのである。

第二に気づくことは、聖ジョージの祝日をもっと祝うべきだと考える人びとの高いパーセンテージ（七五パーセント）が、国家の祝日を自分で祝うつもりはない人びとのパーセンテージ（七二パーセント）とほぼ重なるということである。わたしにはきわめてイギリス的だと思われるこのパターンは、すでに述べたところの、ふたつの「決め手となる特質」つまり節度とイーヨー的内向性と関連している。節度という感覚は、むきになることへの恐怖症と同様に、ともすれば冷淡になる傾向を生む。われわれは極端なこと、過度で激しいことを避ける。加えて問題に正面から取り組むのではなく、くよくよと嘆くことで精神の安定を保つというイーヨー的性癖がある。われわれは国家の祝日をもっと祝うべきだと不満を漏らすが、祝賀を計画するわけではなく、国旗を掲げることさえしない[4]。

二〇一二年の女王の在位六〇年記念（ダイヤモンド・ジュビリー）や、二〇一一年のウィリアム王子の結婚などのような王室の慶事の折りには、少数の者は隠してあった愛国心を取り出す。これらの慶事を祝おうと、ロンドンで群集が旗を振り、あるいはホームタウンの街路で人びとがパーティに興ずる光景を見た人もいるだろう。だがそのような光景は全国民を代表したものではない。公的祝賀行事に参加しているのは、ごく僅かの少数派（せいぜい六パーセント）で、[5]その少数派ですら熱烈な君主制支持者とはかぎらない。王室のイベントは、カーニバルや部族の祭のような「文化的緩解」ないし「祝祭的倒錯」で、そのなかでは人びとは、通常の社会的規範や不文律が一時的に解除され、普通なら決してしないようなことを――国旗を振ったり、道路でダンスをしたり、見知らぬ人に話しかけたりさえ――する。われわれは一日仕事を休んで、ルールを破り、このような行為を楽しむのだが、ロイヤル・ウェディングやジュビリーは、ささやかな「正当化された逸脱」のための何よりもよい口実となる。

そのような強力な口実がある場合でさえ、われわれの大部分は王室のイベントにたいして熱心になることができない。調査によると、たとえばアメリカ人は二〇一一年のロイヤル・ウェディングにイギリス人よりもはるかに熱狂したが、イギリス人の大部分はメディアの過熱にもかかわらず冷静だった。少

4　公平さを重んじる立場から言えば、われわれがイギリス国旗を掲げない理由は、これらのイギリス人的特質だけではない。現在では改善されたとはいえ、少なくともある範囲において、国旗はかなり最近まで政治的極右と人種差別の象徴であった。（今では国旗はサッカーファンと結びつけられるようになったが、そのこと自体が、多くの人びとの反感を招いている。というのはそれによって国旗が「粗野な」下層階級のイメージを喚起するからである。）それでもイギリス国旗は第一に、攻撃の対象物として過激派にとって「利用価値」をもっていた。過激派以外の国民はすでに国旗を敬遠していたからである。

5　かなりの数のイギリス国民はスポーツの大イベントに熱狂する。（あからさまに愛国的にさえなる。）

なくともウェディングは国民の三分の二にとっては「どうでもいい」ことであり、彼らは「ほとんど無関心」だった。僅か一〇パーセントほどが「わくわくした」と言うだろう。「言うだろう」というわけは、匿名による調査であっても「常識として期待される反応」――回答者が自分を社会的に望ましい／容認される姿に見せようとすることから生じる、自己申告という方法につきものの誤り（言い換えれば嘘）――を考慮しなければならないからである。だがこの種の「期待される反応」それ自体が示唆に富んでいる。つまり、中には単に自分が興奮したと言うことができない人びとがいたにせよ、非常に多くの人びとが興奮しなかったと答えている事実は、このようなイベントでの興奮を禁ずる社会的規範がきわめて強力であることを物語っている。

イギリス人の熱狂の欠如（規範によるものであろうとなかろうと）は、われわれが熱烈な反君主制支持者であることを意味しているわけでもない。われわれが何にかんしても、熱狂したり興奮したりすることはない、というだけのことである。事実われわれの大多数はある生ぬるい気持ちで君主制を支持している。「イギリスが共和国になるほうがよいか、それとも君主制のままでよいか？」と問われれば、大多数のものは君主制がよいと答える。過去二〇年にわたって、君主制を支持する人――それを廃止することを積極的に望まないという、限定された意味において――はほぼ国民の七五パーセントである。平均して約一七・五パーセントが共和国を望み、約九パーセントは「どちらでもない」。

ひとつ警告をしておこう。慢性的に冷淡で、あいまいで、無関心なイギリス人が、たまにそうではないとき、彼らはしばしば君主制や王族について活発に議論をし、不満を漏らす。だがイギリス人でない者はその議論に加わりたいという誘惑を抑えたほうがよい。イギリス人は何であろうと――本心では誇りに思い、気に入っているものも含めて――嘆くのが楽しいのだ。たとえば自国の天候について際限なく泣きごとを並べるが、外国人がそれを軽んじることは許されない。自分の家族を悪く言うのはいいが、他人がそれをしたら激怒するのと同じである。同様の「家族」原理は、「アンティ・ビーブ」（ＢＢＣのニックネーム）にも当てはまる。「ＢＢＣ」という名前を、「俗物的中産階級」の比喩として用い、年に一度払う視聴料の文句を言う人びとでさえ、ＢＢＣにたいしては伝統的に気難しい愛着と敬意を抱いている。君主制にたいするわれわれの態度も本質的に同じで、典型的にイギリス的な矛盾をはらんだ愛着である。冷笑と非難と、文句たらたらの愛情と誇り、よそ者が批判すると苛立って怒る。

調査によると、ＢＢＣは一貫して君主制と同じ程度の支持を得ている。約七五パーセントの国民が君主制を支持し、約七〇パーセントがＢＢＣにたいしておおむね好意的である。回答者はＢＢＣにたいして伝統的な「怠惰」とも言えるような愛着と敬意を表わしているのかもしれないし、古くから馴染んだ制度の居心地よさを求めているのかもしれない。あるいはおそらく、わたしの調査では八〇パーセントの回答者が認めた愛国的誇りを示しているのかもしれない。

イギリス人のユーモア、節度、イーヨー的な内向性は、自分の国とその制度にたいする愛着を堂々と表明することを妨げる。だが冗談交じりで、抑制のきいた、気難しいやり方でわれわれは自分たちの愛着を表現してはいるのだ。たとえ匿名で答えるアンケートの欄に✓を記入するだけであっても。

わたしは一般に参与観察と他の質的調査をおこない、調査で得られたデータをある程度の懐疑的慎重さをもって扱うが、すべての量的調査を認めない純粋主義者にひとこと言っておきたい。人びとが匿名の調査という安全状態のなかでのみ口にする、決まりの悪い、私的な事柄が存在する。「よろしい、わかりました。わたしがイギリス人であることに誇りをもっていることを認めましょう」という宣言は、イギリス人にとってそのような事柄のひとつなのである。

「やめてよ」

外国の政治家や公人に見られる感情過多でもったいぶった行動がイギリス人の嘲笑を招くことを以上で述べたが、くそ真面目を非とし、ことに自分をむきになって前面に押し出すのを嫌う傾向は、イギリスの政治家をはじめ著名人にとっては辛いことである。敏感なイギリスの一般大衆は、本国では一層そうしたルールへの違反を許さず、ごく僅かの過失——話者が熱くなりすぎて、誠実さとむきになることとのあいだの細い境界線を越えそうだという微少な気配——を捉えて鼻を鳴らし、「やめてよ」(ないし同様の嘲り)を浴びせるだろう。

日常的会話においてイギリス人は、公的人物にたいしてと同じくらい、互いにたいして厳しい。実際ひとつの国や文化にキャッチフレーズがあるとしたら、イギリスの国家的キャッチフレーズの有力な候補として、わたしは「やめてよ」を推薦する。ジェレミー・パックスマンは、「それはわたしの権利だ」を候補に挙げている。もっとも彼はキャッチフレーズということばを用いてはいない。だがしばしばこのことばを引き合いに出し、イギリス国民性を列挙した彼のリストにこのフレーズを入れている。彼の意図は理解できるし「それはわたしの権利だ」は、確かにイギリス人の個人主義と強い正義感を見事に捉えている。しかしこのフレーズとそれが表わす精神は、アメリカ合衆国にも共通するものだから、果たしてイギリス独自のものと言えるだろうか。わたしとしては、「これはわたしの権利だ」が暗示するような好戦的な行動主義よりも、「やめてよ」という安楽椅子の懐疑のほうが、イギリス的精神をよりよく表わしていると主張したい。これこそ、誰かのことばを借りれば、イギリス人が革命よりも風刺を選ぶ理由かもしれない。だが、しばしば引用されるこのコメントは欺瞞的だということを心に留めておく必要がある。それはイギリス人を善良に見せすぎるからである。暴力的な蜂起よりジョークを好み、銃や爆弾を携えて街路に出るよりも、座して馬鹿げた話を楽しむ、辛辣ではあっても無害な人びとだと思わせるからである。だがイギリス的風刺の毒の凄さを知れば、それがとんでもない誤解だということがわかるだろう。イギリス人にとって嘲笑は武器の代替物ではなく、それ自体が相手を殺す武器であり、暴力によるどのような抗議よりも効果的に、不人気な政治指導者を引きずりおろす。

われわれが現在享受している権利や自由を獲得するための運動に身を投じた人びとは、確かに存在した。だが普通のイギリス人の大部分は今では権利や自由を当然のことと思い、それらを擁護し保持する運動に積極的に参加するよりも、傍観者の立場からあら探しをし、ちくちくと非難し、不平を言うほうを選ぶ。多くの人びとは国政選挙に行くことさえ面倒がる。イギリスの恥ずべき投票率が懐疑によるものか、無関心のためなのかについて世論調査員や専門家のあいだに意見の一致はないようだが、たぶんその両方だろう。投票をする人びとにしても同様の非常に懐疑的な態度であることに変わりはなく、「駄目なもののなかからせめてベストを選ぶ」「ふたつの悪のなかのより悪くないほうを選ぶ」のであって、特定の政党が本当によりよい世界を創りだすと信じ、眼を輝かせ熱い期待を寄せているわけではない。そのような確信は、例の「やめてよ」という反応に会う。

新語・流行語に敏感な若い人たちは、「やめてよ」ではなく、皮肉をこめて「どうぞ、どうぞ」などと言うだろうが、原理は同じである。同様にむきになってはいけないというルールを破った者は、「自己中心的」という伝統的な表現よりも「オレオレ主義」だと言われるだろう。この本が読まれるころには、この表現も最新のものに変わっているだろう。しかし基底にあるルールと価値観は深く根をおろしていて、変わることはあるまい。

アイロニー

イギリス人は普通自国の自慢をしない。実際、愛国主義も自慢も見苦しいとみなされるので、そのふたつが連結すれば二重にみっともないことになる。だがこれにはひとつだけ重大な例外があり、それはイギリス人が己のユーモアのセンスにかんして、とくにアイロニーの玄人であることについて抱く国民的誇りである。[6] 一般に信じられているところによれば、イギリス人は他のどの国民より優れた、微妙な、はるかに進化した、ユーモアのセンスをもっており、他の国民は皆、思考がうんざりするほど即物的であり、アイロニーを理解し、楽しむことができない。わたしがインタビューをしたイギリス人のほとんどすべてがこの信念をもっており、驚くべきことに多くの外国人も謙虚にそれを認めた。

自分たちの優れたアイロニーのセンスをイギリス人は確信し、他の多くの人びとにも納得させているようだが、すでに述べたように、わたしは一〇〇パーセント同意しているわけではない。ユーモアは普遍的に存在し、アイロニーはユーモアにとって普遍的に重要な構成要素である。どの文化であれ、その独占権を主張することはできない。わたしの調査結果は、ここでもまた、アイロニーは程度の問題、つまり質よりも量の問題であることを示している。イギリス人のユーモアの独特な点は、アイロニーが浸透していること、それが重視されていることである。アイロニーは、単なるピリッとした味付けにとどまらず、イギリス人のユーモアの最重要な構成要素である。イギリス国民性の詳細を鋭敏に観察した劇作家[7]によれば、イギリス人は「アイロニーのなかで受胎し、子宮のときからそのなかに浮いている。それは羊水なのだ。冗談かと思えばそうでもなく、気遣いのように見えてそうではなく、真面目とも不真面目ともつかず……」

言っておかねばならないが、わたしが接した外国人インフォーマントの多くは、イギリス国民性のこの側面をおもしろがるというより、それに当惑していた。あるアメリカ人によれば、「イギリス人の困るところは、冗談で言っているのかどうかわからないことです。真面目なのかふざけているのかちっともわからない」。こう言ったのはオランダから女性の同僚同伴でイギリスに来ているビジネスマンだった。女性のほうは眉を寄せて少し考えてから、ややためらいがちに結論を出した。「あの人たちはたい

6　愛国心にかんする最近の調査によれば、イギリス人は自分たちのユーモアのセンスを、他国民から立派だとみなされている他の資質――フェアプレイの精神、礼儀正しさや寛容など――よりもずっと誇りに思っている。これらの資質も誇りにしてはいるが、王座を占めるのはユーモアである。

7　劇作家アラン・ベネット。正確に言えば彼の戯曲のひとつ『故国』のなかのある登場人物。

がい冗談で言っているんだと思いますけど?」

そこが問題で、わたしはそのふたりに同情した。外国からの訪問者へのインタビューからわたしにわかったのは、アイロニーにたいするイギリス人の偏好が、旅行者や遊びで来ている人びとよりも、ビジネスでイギリスに来る人びとにより深刻な問題を投げかけるということである。J・B・プリーストリーは書いている。「イギリスの気候はユーモアに都合がいい。しばしば靄に包まれていて、ものがはっきり見えるのはごく稀である」。彼は「アイロニーの感覚」をイギリス人のユーモアの構成要素一覧のトップに置いた。ユーモアに適したイギリスの気候は、旅行者などには都合がいい。だが何十万ドルという取引きの場では、先に述べた気の毒なインフォーマントのように、靄に包まれアイロニーに浸された文化風土は明らかに障害になり得る。

この風土に順応しようとする人びとが、心に留めるべき最も重要なルールは、アイロニーはその土地特有のものだということである。つまりユーモア一般と同様にアイロニーは日常会話のなかの、不変で、既定の、正常な要素なのである。イギリス人は常に冗談を言っているわけではないが、彼らは常にユーモアを発し受け入れる姿勢でいる。イギリス人は常に自分の意味することの反対を言うわけではないが、彼らは常にアイロニーの機会を窺っている。イギリス人の誰かにストレートな質問(たとえば「お子さんたちはどうですか?」)をすれば、ストレートな答え(「おかげさまで元気です」)が返ってくるかもしれないし、アイロニックな答え(「ああ、いい子たちですよ、チャーミングで、手助けをしてくれて、身ぎれいで、よく勉強して……」)が返ってくるかもしれない。それにたいしては「おやおや、大変ですね」とでも答えるべきであろう。

アンダーステートメント

アンダーステートメント〔控えめな表現〕をアイロニーのなかに含めたのは、それがユーモアのなかに独立して存在するというよりも、アイロニーの一種だからである。それは非常にイギリス的なアイロニーでもある。アンダーステートメントは、「むきにならないこと」というルール、「やめてよ」というルール、イギリス人の日常的人間関係を支配するさまざまな自制と謙遜と密接にかかわっている。もちろんそれは、英国の専売特許というわけではなく、この場合も問題となるのは質よりも量である。ジョージ・ミケシュのことばを借りれば、「アンダーステートメントは単にイギリス的ユーモアのセンスの一部であるにとどまらず、イギリス的生き方である」。英国人は控えめな表現をすることで知られ、それは当然であるにしても、彼らがそうした表現を考案したわけでも、他の国民よりも巧みにそれを使うわけでもなく、彼らが実に多くの場合にそれを見せるというにすぎない。（とはいえ、たぶんわれわれイギリス人は、始終練習をするせいで、アンダーステートメントが他国民より少しはうまいかもしれない。）

イギリス人がアンダーステートメントをあらゆる場面で発揮する理由を見つけるのは容易である。むきになり、熱弁をふるい、感情を誇示し、自慢する――そのような行為を厳しく禁じる慣わしは絶えず控えめであることを求める。ご法度とされているしかつめらしい態度、見苦しい感情、熱狂などを少しでも見せるより、イギリス人はその極端を選んで、ドライに無表情に無関心を装う。アンダーステートメントというルールに従えば、苦痛と衰弱をともなう慢性の病気は「少々厄介」と表現されるべきであるし、実に恐ろしい経験は「まあ、望んだわけじゃありませんがね」、心奪われるような美しい光景は「悪くない」、傑出した業績は「まあまあ」、極悪残忍な行為は「優しくない」許しがたく愚かな判断ミスは「利口とはいえない」、南極は「少々寒い」サハラ砂漠は「わたしの好みから言うと暑すぎる」となる。他の文化であったなら、最上級の賛辞を獲得するような、飛びぬけてすばらしいものは、人間であれイベントであれ、ほとんどの場合「ナイス」で片づけられるし、もっと熱烈な称賛を表わしたい場合もせいぜい「ベリー・ナイス」である。

言うまでもなく、イギリス的アンダーステートメントも、この国を訪れる多くの外国人にとっては非常な混乱を招き、腹立たしいものである。（イギリス人だったら「少々わかりにくい」と言うところだ。）「わかりませんね」あるインフォーマントは憤慨して言った。「冗談のつもりなのでしょうか？　もしそうならどうして笑わないのだろう、少なくともにやりとかしないのだろう？　「悪くありませんね」というのが「実にすばらしい」という意味なのか、「まあまあですね」という意味なのか、どうやったらわかります？　彼らは何か密かな合図でもしあっているのですかね？　どうしてありのままを言わないのだろう？」

これがイギリス的ユーモアの問題点である。イギリス的ユーモアの大部分は、たぶんアンダーステートメントも含めて、実際にはたいしておかしくはない——少なくとも耳にしただけではおかしくなく、吹き出すようなおかしさではなく、これは確実に言えることだが、他の文化の人びとにとっては全然おかしくない。アンダーステートメントを実践するイギリス人でさえ、腹の底からおかしいわけではない。

せいぜいタイミングのよい、巧みなアンダーステートメントが、かすかな微笑を誘うくらいである。だがそれこそが肝心なのだ。それはおかしいが、抑制のきいたおかしさであり、ユーモアではあるが、控えめで洗練された微妙なユーモアなのだ。

イギリス的アンダーステートメントを理解し、それをおもしろいと思う外国人でさえ、自分がそれを発揮するとなると、なかなかうまくゆかない。わたしは父から、熱烈なイギリス・ファンであるイタリア人の友人たちの話を聞いたことがある。彼らはできるかぎりイギリス人のようになろうとした。完璧な英語を話し、イギリスの服を着て、食べ物さえイギリス人の嗜好を身につけた。だがイギリス的アンダーステートメントはどうも「マスターできない」と言い、父に指南を頼んだ。あるとき、彼らは地元のレストランの食事がいかにひどかったかについて、長々と熱弁をふるっていた。料理は喉を通るようなものではなく、店はぞっとするほど不潔で、サービスは常識外のひどさだった、などなど。「それはそれは」聞き終わると父は言った。「人には勧めないということですね？」

「それだ！」イタリア人は声をあげた。「まさにその言い方ですよ！　どうしてそういうふうに言えるのですか？　どうしてそんなにタイミングよく言えるのですか？」

「わかりません」父はすまながった。「説明できないのですよ。ただ自然に出てくるので」

これはイギリス的アンダーステートメントのもうひとつの問題である。それはルールだが、『オックスフォード英語辞典』でルールの項目の四番目の意味、つまり「物ごとの正常で普通の状態」という意味においてルールなのである。イギリス人はそのルールに意識的に従うのではなく、それは彼らの脳に知らず知らずのうちにインプットされている。イギリス人はアンダーステートメントの方法を教えられるのではない。それが染みこんでいるのだ。彼らが自然にアンダーステートメントを口にできるのは、それがイギリス文化のなかに浸透しており、イギリス人の精神の一部だからである。

アンダーステートメントを外国人が「身につけ」にくいもうひとつの理由は、それが仲間内でのみ通じるやり方で、イギリス的ユーモアにかんする不文律をせせら笑っているからである。たとえば、トラウマになって残るような恐ろしい、苦痛に満ちた経験を、イギリス人が「あまり愉快じゃない」と言うとき、彼らはむきになることへのタブーや、アイロニーというルールを守っている。だが同時にそうしたルールを滑稽にも杓子定規に守る自分たちの態度を嘲笑してもいる。イギリス人はアンダーステートメントを発揮するが、それを過度に発揮しながら、同時に（密かに）、それをする自分たち自身を笑っている。彼らは自分たち自身をパロディの対象としている。あらゆるアンダーステートメントはイギリス国民性にたいする密かなジョークでもあるのだ。

卑下する

イギリス的アンダーステートメントと同様に、イギリス的自己卑下もアイロニーの一種とみなすことができる。普通それは心からの謙遜ではなく、本当に言いたいことの逆――少なくとも人びとに伝えたいことの逆――を言うことから成り立っている。

イギリス的謙遜というテーマはこの本で繰り返し登場すると思うので、それにまつわる誤解を今すぐ一掃しておきたい。「謙遜というルール」というとき、大事なのは「ルール」であり、イギリス人が他国人とくらべて生まれつき謙虚だとか、自己主張をしないというのではなく、彼らは厳密なルールのもとに謙遜を装っているということである。そのルールには、「消極的」ルール（たとえば自慢をはじめ、すべての自己顕示はご法度である）と「積極的ルール」（進んで卑下し謙遜する）がある。こうした不文律的な「ルール」が浸透しているという事実そのものが、イギリス人が生まれつき、本能的に、謙虚ではないことを示している。せいぜい言えるのは、イギリス人は謙虚さを重視し、謙虚であろうと努めているということ。彼らが実際に示す謙遜はたいてい偽の謙虚で、より好意的な言い方をすれば、アイロニカルなのである。

そこにユーモアが生じる。ここで言うユーモアは、腹を抱えて笑うようなおかしさではない。イギリス人の卑下が生むユーモアは、彼らのアンダーステートメントと同様に、時にはそれと感じられないほど抑制されており、イギリス人の謙遜のルールを知らない人びとにはしばしば理解されない。

しかし、それがどんなふうに表現されるかを示すために、ここではわかりやすい例を出そう。わたしの夫は脳外科医である。最初に会ったとき、どうしてその仕事を選んだのかとわたしは訊いた。「そうですね、ぼくはオックスフォードで哲学、政治学、経済学を専攻したのですが、どうもついてゆけなくて、それで、その、もっと易しいことをやったほうがよいと思ったんです」。わたしは笑ってから、当然彼が期待しているように、脳外科手術が易しい仕事であるわけはないでしょう、と言った。これは彼にさらなる卑下のきっかけを与え、彼は言った。「いや、易しいですよ。さも大変のように言われているだけです。本当のところ、イチかバチかの仕事です」。あとでわかったことだが（彼はそれを予見していたに違いない）オックスフォードの知的レベルに「ついていけなかった」のは大嘘で、彼は奨学金を得て入学し、最優等学位で卒業していた。「どうしようもないガリ勉でね」と彼は言い訳をした。

さてこの場合、彼は心底謙虚だったか？ 違う。だが彼のユーモアに満ちた自己卑下的応答が意図的な、計算された「偽りの」謙虚だというのも当たっていない。彼は単にルールどおりに、習慣的に、輝かしい経歴というきまり悪さに対処し、自分を嘲るようなジョークを作り出していたにすぎない。そしてここが重要だが、彼の謙遜に満ちた自己軽視は何ら例外的で特別なものではなく、単に彼がイギリス人だというだけの話である。イギリス人は常に機械的にそれをやっている。謙遜して隠すような、立派な業績も資格ももたぬ者でさえ、それをやる。わたしの場合、幸運なことに、社会人類学者の仕事を知っている人は少ない。したがって仕事にかんして質問を受けたとき、それを吹聴していると思われる恐れはほとんどない。だが万一頭のよい人間だと思われそうな場合、わたしは素人にたいしては「覗き屋を洒落れてそう言うだけです」と言い、研究者にたいしては、わたしの仕事はポップ人類学で、大胆に現地調査をやる本来の人類学とは違います、とすばやく答えることにしている。

イギリス人のあいだでは、このシステムは完璧に機能している。習慣的な卑下は大雑把に見て、その逆のことを意味しているのだと誰もがわかっており、相手の業績とそれを吹聴しない態度に感心する。（わたしの場合でさえ、自己卑下の内容が実は悲しくも事実であるので、卑下とは言いがたいのだが、わたしの仕事は本人が言うよりは立派なものであるに違いないと、人びとは誤解する。）問題が生じるのは、イギリス人がこのゲームを、イギリス文化の外部にいる人びと――ゲームのルールを知らず、アイロニーを理解せず、結果不幸にもイギリス人の自己卑下を額面どおり受け取る人びと――相手にしかけるときである。イギリス人はいつものように謙遜を装って話し、ゲームに不慣れな外国人は相手の言うことを真に受けて、相手の業績はたいしたことがないのだと思いこむ。そのときイギリス人は開き直ってこんなふうに言うことはできない。「ちょっと待ってください。あなたはここで、まさか、というように訳知り顔をしなければいけないのですよ。わたしがふざけて卑下しているのだから、あなたはそれをまったく信じないばかりか、わたしの能力と謙虚さに一層感銘を受けたということを伝えるためにね」。外国人は習慣的なイギリス的卑下にたいするイギリス的反応を知らない。彼らはイギリス人が複雑な騙し合いのゲームをしていることを知らない。彼らは軽率にもイギリス人の騙し合いを誘い出し、その結果イギリス人はその報いを受けることになる。正直に言うなら、イギリス人は自分たちの愚かさのためにひどい目に会うのである。

イギリス人の日常生活におけるユーモラスな自己卑下についてわたしが話を膨らませすぎ、またイギリス人が英米文化の差を誇張しすぎると思う読者は、『ニューヨーク・レビュー・オブ・ブックス』（『NYRB』）と、まさにそれのイギリス版というべき『ロンドン・レビュー・オブ・ブックス』（『LRB』）に掲載される個人広告をくらべてみてほしい。このふたつの雑誌の読者が人口学的に重なっている――平均年齢、社会的経済的階層、教育のレベル、職業的業績等々において同じである――ので、これは「自然実験」である。ニューヨーク版では恋人や結婚相手を探す者たちはきまって自分を完全無欠な人間として示し、自分が身体的、知的、職業的、社会的、道徳的に完璧であることを長々と、圧倒的な迫力で述べている。わたしの手もとにある最近の何冊かのなかからアトランダムに抜けば、広告の代表的な見出しは「スレンダーでセクシー、大学教授で詩人」「生き生きした、スレンダーな、積極的に生きる」「稀に見る美しさ」「賢く美しい」「ひと目を惹く一〇〇万ワットの微笑」、さらに臆面もなく「官能的、ウィットに富み、暖かく、健康、賢く、きれい」。男性たちは「ハンサム、若々しく、知的」「きわめてハンサム、押し出しがよい」「ハンサム、才能あり」「背が高く、人目を惹く紳士」などなど。

『NYRB』の広告主は皆自分たちのウィットとユーモアのセンス、加えて謙遜さえも吹聴している。わたしが手にとっている典型的な広告では、自分の「謙遜」を誇るある女性が、同時に「ほっそりした体型、元気、相手として楽しくおもしろく、見た目がよく、工夫に富み、慈善心に溢れ、冒険が好き、好奇心旺盛、ひとかどの写真家、もとCEO、熱心なハイカー、リラックスして話せる相手、だがコスモポリタンで知的に洗練されている」と自分を売りこんでいる。わたしは「気取らないエレガンス」「すばやく浮かぶ微笑」「人を食ったウィット」の持ち主で、何よりも「決して自分を自慢しない」とある。別の女性は自分が「情熱的、知的、常に相手としておもしろく」、「非営利団体の役員、ライター、教育者。またデビューしたばかりのキャバレーの歌手」という仕事にふさわしい「ほっそりとしたセクシーな姿態、深く澄んだブルーの瞳、深い精神性と知的洗練」を有し、もちろん器量よしで、好奇心旺盛、元気いっぱい」加えて「独立した、因習にとらわれない考え」をもち、「あらゆる問題について平等と公平を尊重している」と書いている。何よりも、彼女の売りは「すべてのものに知性とユーモアの味付けをし、「茶目っ気と大胆な一面」があり、そう見えないかもしれないが「ちょっぴりアイロニー」を身につけていること。

『NYRB』が公言する「人を食った」ウィット、ユーモアやアイロニーは、『LRB』の個人広告と比較されるとき、顔色を失うに違いない。そこでは人生のパートナーを求めるイギリス人広告主たちが、自分を「太った四七歳の、不機嫌な女」「愛想がなくメンテに金がかかる」「べったりするのが好き、感情過多で社交下手」「被害妄想、嫉妬深く、ときに恐ろしい」「度重なる離婚経験者」「浅薄」「強迫神経症」「閉経期」「過食症」「自暴自棄」などと売りこんでいる。男性たちの典型的な売りこみは「禿げ、ちび、肥満、醜悪」「並みの、髭を生やした物理学者」「孤独で自暴自棄で相手をへとへとにさせる」「冴えない男、メランコリックで落ち込みやすい」「母親しか気に入ってくれない顔の、不気味な男」「精子の数の少ない男性が、受精卵の細胞分裂を急がない女性を求めています」

『LRB』の広告主たちの立派なキャリアと風変わりな趣味としては「介護補助者、週末はリーグのボウリングの試合に参加」「離婚経験者、やけ食い、セックス・セラピスト」あるいは「わたしの趣味は泣くこと、男を憎むこと」。未来のパートナーないし夫に彼女たちが示す自分たちの美質は以下のような文句に見られる。「わたしをきれいだと言って、そうしたらしがみついて離れないから」

ちなみに、『LRB』の広告はどれひとつとして、謙遜を自分の美点としているものはない。また奔放なウィットや、茶目っ気のあるユーモア、僅かなアイロニーさえも、自分がもっていると認めたものはない。

ユーモアとコメディ

このふたつはしばしば同一視され、混同されるので、ここでわたしが取りあげているのは、イギリス的ユーモアであって、イギリス的コメディではないことを断っておきたい。つまりわたしの関心は日常会話におけるユーモアの効用で、喜劇的な小説、芝居、映画、詩、スケッチ、漫画、スタンドアップ・コメディ〔辛辣かつきわどい喋りで笑わせる独演〕ではない。これらを論じるには、わたしよりずっと資格のある著者によるもう一冊別の本が必要だろう。

そう断ったうえで、コメディについて何ら専門的知識をもたぬ者の立場から言うのだが、イギリスのコメディは、以上でわたしが述べたような日常に見るイギリス的ユーモアのルールと、他の章で指摘したところの「イギリス国民性」のいくつかの特徴(たとえばぎごちなさ。イギリスのほとんどのコメディは、本質的にぎごちなさのコメディである)に明らかに影響され、本質を規定されている。イギリスのコメディは、予想されるように、イギリス的ユーモアの諸ルールに従うが、同時にそのルールを伝達し、強化する役割を果たす。最上のイギリスのコメディはすべて、イギリス人自身に向けられた笑いを含んでいると思われる。

イギリスのコメディが他の国々のコメディより優れているというつもりはないが、ひとつ言えるのは、イギリス人にはユーモアのための特別な「時と場所」という観念がなく、ユーモアがイギリス人の意識に浸透しているために、イギリスではコメディにかかわる作者、アーティスト、演技者が読者や聴衆を笑わせるのに、相当な苦心をせねばならないということである。彼らはイギリス人の日常的交流のあらゆる側面に存在するユーモアを超えてその上をゆくものを生み出さねばならない。イギリス人が「ユーモアの優れたセンス」をもっているからといって、彼らはたやすくおもしろがりはしない。まさにその逆で、彼らの鋭い、洗練されたユーモアのセンスと、アイロニーが横溢する文化は、おそらく他の国民とくらべて、イギリス人をおもしろがらせることを困難にしている。そのことが結果としてより優れたコメディを生んでいるかは別問題だが、わたしの印象では、それが驚くべき数のコメディを——優れたもの、くだらないもの、中ぐらいのものを含めて——生んでいるように見える。イギリス人が容易におもしろがらないにしても、それは多作なユーモア作家の側の努力が足りないからではない。

このように述べる一方で、わたしは心からの同情を感じている。というのも、正直に言って、わたしが仕事にしているたぐいの社会人類学は、スタンドアップ・コメディとたいして変わりがないからである。少なくとも、「気がついていますか？　人がいつも……するのを」で始まり数多くのジョークを繰り出す定番のスタンドアップ・コメディとさほど変わらない。最上のスタンドアップ・コメディでは、このあとに人間の行動や人間関係の細部にかんする鋭い、気の利いたコメントが続く。わたしのような社会科学者は一生懸命に同じことをしようとしているのだが、ひとつ違いがある。コメディアンは一発勝負である。そのつど「本当らしく」あるいは「ポイントをついているように」聞こえなければ、笑いをとることができず、同じネタが続けば稼ぐことができない。一方、社会科学者は何年くだらないことを書き続けようと、給料をもらうことができる。しかし社会科学の最上の成果は、ときに優れたスタンドアップ・コメディと同程度の洞察力を示している。

ユーモアと階級

本書の別の箇所で、わたしはあるルールが守られ適用されるさいに見られる階級差を細かく述べたが、この章では階級の話がまったく出ていないことに読者はお気づきかもしれない。理由はイギリス的ユーモアを「理解する手がかり」に階級は含まれていないからである。むきにならないこと、アイロニー、アンダーステートメント、卑下はあらゆる階級的障壁を越える。社会的ルールのなかで普遍的に守られているものは存在しない。だがイギリス人のあいだで、上に述べたユーモアのルールだけは一様に（意識的でないにせよ）理解され受け入れられている。階級如何にかかわらず、ルール違反は注目され、白い眼で見られ、嘲笑される。

イギリス的ユーモアは確かに階級を越えているが、断っておかねばならないのは、日常的なイギリス人のユーモアには階級問題が溢れている、ということである。イギリス人が階級に取り憑かれていることと、彼らがあらゆることをユーモアの種にすることを思えば、これは驚くにあたらない。彼らは常に階級にまつわる習慣や弱点を笑い、社会的上昇主義者の志や彼らの悲しむべき過ちを嘲り、階級というシステムを穏やかにからかっている。

ユーモアとイングリッシュネス

これまで見てきたユーモアの特質はイングリッシュネスについて何を語っているだろうか？　すでに述べたように、イギリス人がユーモアに付与する価値、イギリス文化とイギリス人の会話にユーモアが占める重要な位置は、特定のユーモアの内容自体よりも、イギリス人を定義する特徴である。だがそれでもなお、ユーモアの支配と浸透とは別にイギリス的ユーモアに特長があるか否か、量と同時に質が問題となるか、という問いにたいしては、答えはイエスである。

「むきにならないこと」というルールは単に「ユーモアが支配する」ことを言い換えているだけではない。それは真面目としかつめらしさを区別する細い線を示しており、この区別にたいするイギリス人の敏感さと、しかつめらしさにたいする不寛容は、きわめてイギリス的であるとわたしには思われる。

むきになることを嫌う態度には、イギリス国民性の真髄も見られる。「やめてよ」には、肘掛け椅子から冷笑を向け、対象と距離を置いてアイロニーを楽しみ、感傷をぶっきらぼうに嫌い、立派な大言壮語に騙され取りこまれることを頑なに拒否し、風船のように膨れた尊大さや自尊心を針で突いて喜ぶ、そういうイギリス人の態度が全部詰めこまれている。

アイロニー、およびそこから派生するアンダーステートメントと滑稽な自己卑下も考察した。ユーモアのこのようなかたちそれ自体は、イギリス人だけのものではないが、イギリス人の会話にそれらが広く深く浸透しているさまは、イギリス人のユーモアにはっきりとイギリス的な「風味づけ」をする。繰り返しが熟達を生むならば、イギリス人は確かに他の、ユーモアに支配されない文化にくらべて、アイロニーとアイロニーの仲間たちに熟達しているはずである。であるから、自慢や過剰な愛国心は抜きにしても、イギリス人がアイロニー、アンダーステートメント、自嘲で発揮するスキルは全体として、まずまずのものであるといえよう。

4 言語と階級

階級を抜きにしてイギリス人の会話を語ることはできない。また何事であれ語ろうとすれば、たちどころに自分が属する社会階級を露呈することになる。これはある程度どの国にも当てはまるだろうが、この問題について最も頻繁に引用されるコメントは、イギリス人によるものである。「言語は最もよく人を表わす。話すことばでその人がわかる」とベン・ジョンソンは言い、バーナード・ショーははっきりと言語と階級を結びつけて「イギリス人が口を開けば必ず、誰か他のイギリス人の軽蔑や反感を買う」と言った。近年ではそのような階級意識は薄れたと思いたいところだが、ショーの観察は今なお通用する。認めるか否かにかかわらず、すべてのイギリス人には、誰かが口を開くや否や階級地図上のその人の位置を知らせるGPSが装着されている。

この位置を測定するさいには、ふたつの要因が作動する。用語と発音、つまりどんなことばを用いるか、それをどう発音するか、である。発音のほうが信頼できる指標なので（異なる階級の用語を習得するのは比較的容易である）まず発音を取りあげよう。

母音と子音

おそらく階級を見分ける最上の方法は、どの文字を発音するかに注目することである。発音しない文字に、と言ったほうがよいかもしれない。社会の最上層にいる人びとは、自分たちの話し方が明瞭で正確だから「正し」くて、下層階級の話し方は不明瞭でまったくでたらめ、「正しくない」し「しまりがない」と思っている。この論拠として、子音を発音しないこと、とくに声門閉鎖音〔グロッタルストップ〕――tを発音しない〔のみこむようにして脱落させる〕――とhの脱落を挙げる。しかしこれは自分のことを棚に上げた主張で、下層階級は子音を発音しないが、上流階級も母音を発音しないという過ちを犯している。時間を尋ねてみるとよい。下層階級は「アーフ・パスト・テン」("alf past ten")(「アー・パス・テン」("ah pass ten")のほうが近いかもしれない)と答え、上流階級は「ハップストゥン」("hpstn")と言うだろう。同様に「ハンカチーフ」を労働者階級は「アンカーチーフ」("ankercheef")と言い、上流階級は「ハンクチフ」("hnkrchf")と言う。

上流階級の母音脱落は格調高く聞こえるかもしれないが、携帯のショートメールと同じで、短縮や省略の言い方に不慣れな者には、下層階級の子音の脱落と同じくらいわかりにくい。このショートメール式話法の唯一の利点は、あまり口を動かさずに話せることで、平然とした無表情と、毅然とした態度を保つことができる。

高い階級の人びとは少なくとも子音は正しく発音する――母音をところどころ発音しないのだから、子音を正しく発音しなければ意味が通じない。一方、下層階級はthをf（teethはteefに、thingはfingになる）、時にはv（thatはvatに、WorthingはWorvingになる）と発音する。語尾のgはkになるので、somethingはsomefink、nothingはnuffinkと聞こえる。

母音の発音も階級を見分けるのに役立つ。上流階級はしばしば母音を「脱落」させるが、伸ばして発音することもある。「ナフ・オーフ」（"naff orf"）（「消えろよ」「ほっとけ」）のようにoはor、「プラースティック」（"plaahstic"）のようにaはaahとなる。また、aを短いeで発音することもあり、「アクチュアリー」（"actually"）は「エクチュアリー」（"ectually"）になる。（あるいはさらに母音を縮めて「エクシュリー」（"eckshly"）と言う。）下層階級はaをiの長音で発音することが多い。「デイヴ」（"Dave"）は「ダイヴ」（"Dive"）に、「トレイシー」（"Tracey"）は「トライシー」（"Tricey"）になる。（北部出身の労働者階級はaを長く伸ばす傾向がある。「ダーーイヴ」（"Daaave"）や「トラーーイシー」（"Traaacey"）という言い方で、その人の出自がわかる。）上流階級のなかでも上層はiをaの長音で発音し、「アイ・アム」（"I am"）を「エイ・アム」（"Ay am"）と言う。

ただし上流階級は、できるだけ「アイ」（"I"）を使わずにすまそうとし、自分を指すのに「ワン」（"one"）を使う。そもそも彼らは人称詞を使いたがらず、極力それを避け、冠詞や接続詞も使わない――料金を節約した電報の文面のような話し方である。このような癖があるにもかかわらず、上流階級は自分たちの話し方だけが正しく、他は皆「訛り」だと信じている。ちなみにこの「訛り」は、労働者階級の訛りを意味している。

上流階級の話し方が必ずしも下層階級より知的だというわけではないが、特定のことばの発音の誤りが、下層階級の教養のなさを露呈することは認めねばならない。「ニュークリア」(“nuclear”)を「ヌーキュラア」(“nucular”)、「プロステイト」(“prostate”)を「プロストレイト」(“prostrate”)というのはありふれた誤りだが、「ありふれた」には「下層階級的」というニュアンスがある。ただし上流階級の話し方と「教養ある」話し方は必ずしも一致しない。「BBCイングリッシュ」や「オックスフォード・イングリッシュ」と呼ばれるものが「教養ある」話し方にあたるが、この話し手は上流階級より上層中産階級に多い。上流階級に見られる、気取ったくぐもり声、母音の消失／長音化、人称忌避の癖がないので、慣れない者にもより聞き取りやすい。ウィリアム王子、ハリー王子、アン王女の娘のザラなど、王室の若い世代は意識してBBCイングリッシュに近い話し方をするので、上流階級というより上層中産階級のようである。女王の話し方でさえ、耳につく上流英語から「教養ある」英語へと移行しつつある。

しかし、大半の労働者階級と多くの下層中産階級の人びとが「BBCイングリッシュ」を――多くの場合は英国放送協会の存在自体と放送内容をも――「上流ふうの」(“posh”)人たちのものだと思っている。インタビューのある回答者(労働者階級、無職)が言うには「あたしの住んでいるアパート(彼女はさびれた公営団地に住んでいる)に、上流っぽい(ポッシュ)女の子がいる。母子家庭で、あたしらと同じくらいぎりぎりの生活なのに、彼女は完全にハイソ。ちょっとでも喋ればわかる。完璧なBBCアクセントだから。彼女みたいに喋る人、このへんにはひとりもいないって!」

別の回答者(労働者階級、アジア系イギリス人三世)も、「俺、コールセンターで働いてるんだけど

——仕事は本当につまらない、でも研修日に上流っぽい子たちも何人かいたよ……」と話した。

「どうして上流なの？」

「なんでだと思う？　喋ってるのを聞けばわかるよ。めっちゃ気象予報みたいだから！」

これらのコメントから、収入も職業も社会的地位を示すものとしてまったく機能していないことがわかる。

一般的に発音の誤りは下層階級の証だと思われており、外国語や名前の発音間違いもこれに含まれるが、外国語表現や地名を頻用し、現地ふうに発音するのはまた別の話である。喉で調音するフランス語のrを使って"**en route**"と言ったり、スペイン語ふうにcは舌を噛んで"**Barthelona**"と発音したり、フロレンスではなくフィレンツェと言ったりすること——それが正しい発音だとしても——は、外国にかぶれているか、鼻にかけていることになり、ほぼ確実に下層中産階級か中層中産階級出身であることを露呈する。上層中産階級、上流階級、労働者階級なら、そのように自分を誇示する必要を感じないからだ。もしその言語に堪能なら、これらの単語を現地の発音で発音してもおそらく許されるだろう——能力をひけらかさないのがずっとイギリス人的で上品ではあるけれども。

最近は地方訛りが市民権を得るようになったと——放送局で働きたいなら有利であるとさえ——言われ、いわゆるヨークシャー訛り、スカウス〔リヴァプールなど北西部の方言〕、ジョーディ〔タインサイドなど北東部の方言〕、西部地方訛りが下層階級の言語として見下されることはない。それは事実なのかもしれないが、わたしは全面的に同意しているわけではない。多くのテレビやラジオの人気番組の司会者たちが地方訛りで話すことを人びとがおもしろがるからといって、階級が消えつつあるということにはならない。地方訛りを好ましく思い、楽しく耳に心地よく魅力的だとさえ感じたところで、下層階級のものだと認めていることに変わりはない。かつては憧れの対象だったさまざまな職業に労働者階級も就けるようになったということなら、ずばりとそういうべきであろう。

「地方訛り」にかんしては、多文化的ロンドン英語（マルチカルチュラル・ロンドン・イングリッシュ）に触れておかねばなるまい（とくに序章で述べた移民の影響との関係において）。ロンドンやその周辺の労働者階級の若者の多くが、カリブ海、南アジア、アフリカ系アメリカ人の話し方のパターンと語彙が組み合わさった多文化的ロンドン英語と呼ばれる混合方言を話す。バーミンガムやマンチェスターなど別の「多文化」圏から、変種も生じつつある。多文化的ロンドン英語では、hが脱落することなく、「ライク」（"like"）（いろいろな意味で使用される）が「ラーク」（"lahke"）に、「ザット」（"that"）が「ダット」（"dat"）になり、ほぼすべての文章が、疑問文であろうとなかろうと"innit?"（「でしょ？」「だよね？」）や"y' get me?"（「わかる？」）で終わる。

用語――U言語と非U言語再考

ナンシー・ミットフォードは一九五五年、『エンカウンター』に掲載されたエッセイで、上流階級とそれ以外の人びとの使用する用語を指す「U言語と非U言語」（U＝upper class.「上流階級の言語と非上流階級の言語」）という新語を提示した。彼女が示した階級を見分けることばのなかには今や時代遅れになったものもあるが、考え方は健在である。階級識別用語には変化したものもあるが、残っているものも多く、たとえば現在でも昼の食事を「ランチ」と言うか「ディナー」と言うかで階級を見分けることができる。

しかしミットフォードの単純な二分法ではわたしの論旨を説明しきれない。階級識別用語には単に上流階級を他と分けるものもあれば、より厳密に、労働者階級と下層中産階級、中層中産階級と上層中産階級を区別できるものもある。労働者階級と上流階級の使うことばが非常に似ていて、中間層とは著しく異なる場合もある。

七つの大罪

ただし、次の七つは、確実に階級を識別できる用語だと上流階級と上層中産階級が認めている。上流階級の前でこの「七つの大罪」のひとつでも口にすれば、彼らのなかの階級識別レーダーが作動して警報が鳴り響き、よくても中層中産階級、おそらくはもっと下に降格させられるだろう――自動的に労働者階級とみなされることもあり得る。

パードン

「パードン」は上流階級と上層中産階級が忌み嫌う悪名高いことばである。ジリー・クーパーの息子は「ママが「パードン」は「ファック」よりずっと悪いことばだって言ってた」と友だちに話していたというが、そのとおりである。上流階級と上層中産階級にとって紛れもない下層階級の用語は、罵りことばよりも悪い。下層中産階級が住む一帯を「パードン族」という人もいるほどである。試しに、わざと相手が聞き取れないくらいの小さい声で話しかけてみれば、下層中産階級か中層中産階級なら「パードン?」、上層中産階級なら「ソーリー?」（あるいは「ソーリー…ホワット…ソーリー?」）と言うだろう。しかし上流階級と労働者階級はともにただ「ホワット?」と言う。労働者階級はｔを省略して「ホワッ?」と言うだろうが、これが唯一の違いである。上層労働者階級でも中産階級志向の人は、上品に聞こえると思いこんで「パードン」と言うだろう。

トイレット

「トイレット」もまた上流階級がたじろぐ——あるいは成り上がりらしき人が使うと目くばせする——ことばである。上層中産／上流階級は「ルー」（“loo”）か「ラバトリー」（“lavatory”）（一音節目にアクセントを置いて lavuhtry と発音する）と言う。たまに「バグ」（“bog”）を使うが、それは皮肉や冗談交じりに言う時だけである。労働者階級は皆「トイレット」（“toilet”）と言う。下層中産階級や中層中産階級と同じだが、労働者階級は最後のｔを省く点のみが違う。（労働者階級が「バグ」と言うときもあるが、含みのある鍵括弧はつかない。）しかし上流気取りや上昇志向の下層中産階級と中層中産階級は、「トイレット」を避け、お上品ことばを好む。「ジェンツ」（“Gents”）「レイディース」（“Ladies”）、「バスルーム」（“bathroom”）、「パウダールーム」（“powder room”）、「ファシリティーズ」（“facilities”）、「コンビニエンス」（“convenience”）、あるいは「ラトリン」（“latrines”）、「ヘッド」（“heads”）、「プリヴィ」（"privy"）など。いずれも冗談めかした婉曲語で、「プリヴィ」は主として男性が使う。
上流階級の「パードン」や「トイレット」ということばにたいする嫌悪（イギリス人一般が抱く階級へのこだわりと言ってもよい）をわたしが誇張していると思う人は、キャロル・ミドルトンについての記事を思い出してほしい。彼女がこのふたつの語を使用したことを、新聞は容赦なく書き立てた。BBCニュースオンラインによれば、

ミドルトン一家へのバッシング記事のなかに、ケイトの母親が女王の前で「トイレット」と「パードン」を使ったという申し立てがあった。

「申し立て」という語が使われていることがおもしろい。通常この語は犯罪――あるいは原罪――にまつわることにのみ使用されるからである。

セルヴィエット

パードン族はナプキンを「セルヴィエット」（"serviette"）と呼ぶ。これもお上品ことばのひとつで、普通の英語でなく気取ったフランス語を使うことでステイタスを上げようとする、見当違いの例である。「セルヴィエット」は、「ナプキン」が「ナッピィ」〔おむつ〕と似ているので、ほかに上品に聞こえる言い方はないかと考えた下層中産階級が、気取って使い始めたと言われている。発端がどうあれ、「セルヴィエット」は紛れもなく下層階級のことばとみなされる。下層階級の子守りがうっかり「セルヴィエ

ット」を使い、子どもがそれを真似ると、上層中産階級や上流階級の母親たちは激怒して、「ナプキン」と言うように徹底的に矯正する。

ディナー

「ディナー」ということば自体に問題はない。だが昼の食事を「ランチ」と呼ばずに「ディナー」と言うと、労働者階級の烙印が押される。わたしは講演で階級を当てる「余興」をすることがある。イギリス人の聴衆に向かって、昼食のことを「ディナー」と言う人、続いて「ランチ」と言う人に手を挙げてもらう。（そして後者には親が昼食を「ディナー」と言うかどうかを尋ね、社会的流動性を予測する。）言うまでもなく非常に粗野なやり方だが、聴衆は瞬時に、イギリスの階級制度において、いかに言語的「文化資本」が重要であるかを認識する。そのうえ必ず笑いがとれる。

夕食を「ティー」と言うのも労働者階級の証で、上流階級はこれを「ディナー」、または「サパー」と言う。厳密に言うと、ディナーはサパーより幾分豪華である。「サパー」は家族内でのくだけた食事であることが多く、たいていはキッチンでとる。「ファミリーサパー」、「キッチンサパー」と明示することもあるが、やや気取って聞こえる。上流階級や上層中産階級は、中層中産階級や下層中産階級に比して「サパー」を使うことがはるかに多く、フォーマルな食事でなければ夕食を「ディナー」と言うことはめったにない――間違っても「ディナーパーティ」などとは言わない。

「サパー」と階級の関係については、二〇一二年にメディア倫理にかんするレヴソン公聴会〈某新聞による盗聴をきっかけにキャメロン首相が立ち上げた〉で、ショートメッセージが暴露されたときに話題となり、人びとを大いに喜ばせ、新聞の一面の見出しにもなった。メッセージは新聞編集者レベッカ・ブルックスがキャメロン首相に宛てたもので、そのなかに「そのうちカントリーサパーでもしましょう」という一文があった。文面からは両者の不適切な馴れ合い（たとえば「仕事上、わたしたちは確かに一体です」など都合の悪いこと）が垣間見えるが、何より憤慨と嘲笑の的となったのは「カントリーサパー」という「上流ぶった（ポッシュ）」ことばであった。そのことば自体は無害で、カントリーハウス（首相とレベッカ・ブルックスはそこで隣人同士である）でのサパー（仲間内での夕食）を指すにすぎない。しかしメディアは、エリート意識と上流ふう仲良し関係の恰好の証であるとして飛びついた。だが皮肉なことに、ほとんどの記者は気づかなかったが、本当に上流階級であったなら「カントリーサパー」ということばを使わなかったであろう。それは「キッチンサパー」同様、気取って使う（つまり下層中産／中層中産的な）ことばだからである。

　高い階級の人たちにとって「ティー」は、四時ごろにとるお茶とケーキ、スコン（「スコーン」と伸ばさない）、または軽いサンウィジュ（「サンドウィッチ」とは発音しない）のことである。低い階級の人たちはこれを「アフタヌーン・ティー」と言い、「ティー」は夕食を指す。このことは外国人客の混乱を招く。「ディナー」に招かれたら、昼と夜のどちらに訪問すればよいのか、「ティーにおいでください」と言われたら四時なのか七時なのかを尋ねたほうがよい。答えによってあなたをもてなす家の階級を見分けることができるだろう。

セティ

家具の呼び方を尋ねてみるのもよい。二、三人掛けの布（革）張り椅子をセティまたはカウチと言うならせいぜい中層中産階級、ソファと言うなら上層中産階級かそれ以上である。これには例外もあるので、「パードン」「ディナー」「トイレット」ほど正確に階級を反映しない。上層中産階級の若者には、アメリカの映画やテレビ番組に影響されて「カウチ」と言う者もいる。もっとも、階級にこだわる親をからかっていらつかせようというのでもなければ「セティ」とは言いそうもないが。

ラウンジ

セティあるいはソファを置く部屋の呼び方でも階級がわかる。セティは「ラウンジ」か「リビングルーム」に、ソファは「シッティングルーム」か「ドローイングルーム」に置かれる。「ドローイングルーム（ウィズドローイングルームの略）」は、かつては唯一の「正しい」用語であったが、ありふれたテラスハウスの狭い一室を「ドローイングルーム」（ディナーのあと、食堂から下がって女性たちがくつろぐ部屋）と呼ぶのはおかしいと感じる上層中産階級と上流階級が増えたため、「シッティングルーム」に落ち着きつつある。上層中産階級は「リビングルーム」と言うこともある。中層中産と、それより下層の階級にかぎって「ラウンジ」と言うが、これには人は眉を顰める。「ラウンジ」は、上層中産にのし上がろうとする中層中産の人たちを特定するのにうってつけの語である。彼らは「パードン」や「トイレット」と言ってはいけないことを知っているようだが、「ラウンジ」と言うことで大罪を犯していることにはほとんど気づかない。

スイーツ

「スイーツ」も「ディナー」と同じく、何をそう呼ぶかによって階級がわかる。上層中産階級と上流階級は料理のコースの最後に供されるものを「プディング」と言い、決して「スイーツ」「アフターズ」「デザート」とは言わない。それらは下層階級のことばで、許しがたく思っている。「スイート」は形容詞としてはよく使うが、名詞としては甘い菓子類——アメリカ人が「キャンディ」と呼ぶもの——のみを指す。料理の最後に出るものは、アップルタルトであろうとレモンシャーベットであろうと「プディング」である。料理の最後に「スイーツがほしい人は？」と尋ねれば、自分が中層中産階級以下であることをさらすことになる。「アフターズ」も階級格下げレーダーを作動させる。「デザート」は、アメリカかぶれの上層中産階級の若者たちが使うようになってきたため、三語のなかでは最も無難な——階級が見分けにくい語である。また上流階級にとっての「デザート」は、ディナーの最後の最後、プディングのあとにナイフとフォークで食べる果物を指すので、混乱のもとにもなる。

「スマート」と「コモン」

「七つの大罪」は階級を見分けるのに最もわかりやすく確かな手段だが、われわれの高度精密階級レーダーにひっかかる語はまだたくさんある。「ポッシュに（上流階級のように）話し」たいなら、まず「ポッシュ」という語を使ってはいけない。上流階級は「スマート」と言う。上層中産階級や上流階級のあいだでは、「ポッシュ」が下層のことばであることを心得ているのが伝わるように、皮肉をこめて冗談めかして使う。

「スマート」の反対語は「コモン」で、これは「労働者階級」を婉曲に指すお高くとまったことばである。しかし使いすぎると階級へのこだわりを露呈するので、気をつけねばならない。何であろうと「コモン」と言うのは行きすぎで、下層階級から距離を置くのに必死だととられる。自信のない者だけがこのように上流印をつけて歩く。「普通の」(“naff”)はどっちつかずの都合のよい語で、「コモン」と同じように使えるが、「安っぽい」「趣味が悪い」の意味にもなる。

もしくは「チャヴ」(“chav”)(元来、名詞であったが現在は形容詞としても使われる。ただし形容詞としては「チャヴィー」(“chavvy”)のほうが一般的)を使ってもよいだろう。正式には「チャヴ」は労働者階級の特定の層のみを指す――つまりはアメリカで「ホワイト・トラッシュ」(“white trash”)「トレーラー・トラッシュ」(“trailer trash”)、あるいは単に「トラッシュ」(“trash”)と呼ばれる、白人貧困層のイギリス版だと思えばよい(オーストラリアやニュージーランドの「ボーガン」(“bogan”)がおそらく、最も近い)。「きちんとした」労働者階級の人びとは、粗暴で下品で怠惰な「チャヴ」とは一線を画そうと腐心する。しかし、今では「チャヴ」は、中産階級、上流階級の人びとにとって都合のよい婉曲語となっている。禁句を使わずに「労働者階級」を指したり、お高くとまっていると言われることなく労働者階級趣味を嘲笑したりできるからである。もっともこのことばがいかに侮蔑的であるかについては多くの記事に書かれ続け、本一冊分をその内容で埋めているものさえある。

中産階級や上流階級がそれにかわる表現を見つければ、「チャヴ」は、ゆくゆくは淘汰されるであろう。ことばとはそういうものである。「ルンペンプロレタリアート」(“lumpenproletariat”)を復活させればよいのではないか。これはマルクスの造語（一九世紀後半の「チャヴ」に相当する人びとを指す）だが、階級反対主義者は多少抗議しにくくなり、おまけに必ず誤用されて、社会学者は激怒するだろう。覚えやすいように、縮めて「ルンプス」と言ってもよい。（上層の人びとが過度に偽善的なスノッブになって気をまわすのをやめたらよいのだが、そうはいかないようだ。）

「コモン」の若者は親を「マム」（"Mum"）「ダッド」（"Dad"）と呼ぶ。「スマート」の子どもたちは「マミー」（"Mummy"）「ダディー」（"Daddy"）（「マ」（"Ma"）「パ」（"Pa"）は時代遅れである）と呼ぶ。コモンの子どもは親のことを「マイ・マム」「マイ・ダッド」（あるいは「ミ・マム」（"me mam"）「ミ・ダッド」（"me dad"））と言い、スマートの子どもは「マイ・マザー」「マイ・ファーザー」と言う。「マム」「ダッド」と呼ぶ上層階級の子どもたちもいれば、労働者階級には「マミー」「ダディー」と呼ぶ幼い子どもたちもいるので、これは階級を見分ける正確な指標にはならない。しかし十歳、いや十二歳を過ぎても母親のことを「マミー」と呼ぶときは、上層階級とみてまず間違いない。おとなになっても「マミー」「ダディー」と呼ぶ人たちは、ほぼ確実に上層中産階級かそれ以上である。

在位六〇年記念（ダイヤモンド・ジュビリー）のスピーチで女王を「マミー」と呼んだ御年六四歳のチャールズ皇太子がよい例である。彼はユーモアを狙ってこのような親称を使ったのだが、「マム」ならさらに親しみを感じて人びとは喜んだだろう。

「マム」たちがもっている「ハンドバッグ」を、「マミー」たちは「バッグ」と呼ぶ。マムは「パフューム」をつけ、マミーはそれを「セント」と呼ぶ。「マム」と「ダッド」は競馬を「ホースレーシング」と呼ぶが、スマートのマミーとダディーはそれを「レーシング」と呼ぶ。コモンの人たちは「ドゥー」

に行くが、中層中産階級はそれを「ファンクション」と呼び、スマートの人たちはパーティと呼ぶ。中産階級の「ファンクション」では「リフレッシュメント」が供されるが、高い階級の人たちのパーティでは、フード・アンド・ドリンクである。下層中産と中層中産階級の食事の一人前は「ポーション」だが、上層中産階級以上は「ヘルピング」である。コモンの人びとはコース料理の最初に出るものを「スターター」と言い、スマートは「ファーストコース」と言う――しかしこれはあまりあてにならない。ただし、メイン料理（三品のコース料理の場合）のことを「メインミール」と言うのは間違いなくコモンの人びとである。

上層中産階級以上は「ハウス」と呼ぶものを、下層中産と中層中産階級は「ホーム」もしくは「プロパティ」と言う。コモンの家には「パティオ」があり、スマートの家には「テラス」がある。労働者階級は「家のなか（に）」という意味で「インドア」を使う（「あ、しまった、インドアに置いてきた」というように。「アー・インドアズ er indoors」といえば「うちの家内」という意味になる）。ここに挙げたものがすべてではない。階級はイギリス人の生活のあらゆる面に浸透している。さらなる階級識別用語が――非言語的指標も――この本のほぼすべての章に登場する。

階級の否定

われわれは依然として強く階級を意識する一方で、「偏見のない」この時代に階級にこだわるのは恥ずかしいという思いから、階級を否定したり隠したりするのに必死になる。中産階級はとりわけ階級に不快感を覚え、善良な上層中産階級は最も神経を尖らせる。彼らは「労働者階級」という語を使わないように非常に苦心する――「低所得層」「非特権者」「一般人」「低学歴者」「普通の人」「タブロイド読者」「ブルーカラー」「公立学校出身」「公営団地族」「大衆」などの婉曲表現に頼る。

気をまわしすぎる過敏な上層中産階級は「階級」ということばさえ避け、慎重に「背景（バックグラウンド）」と言う――このことばを聞くとわたしはいつも、「背景」から階級を読み取らせようとするローレンス・スティーヴン・ラウリーの描く街の風景か、さらに上の階層が暗示されている場合にはトマス・ゲインズバラやジョシュア・レノルズの描く田舎のマナハウスから抜け出てきた人を思い浮かべる。

だが、このような婉曲表現は不必要である。労働者階級のイギリス人は禁句を使うことに、概して何のこだわりもない。彼らは、ごく最近まで自分たちを平気で労働者階級と呼んでいた。上流階級もまた階級にかんして率直で婉曲的ではない。社会の上層と下層が中層よりも階級意識が弱いわけではない。あまり悩んだり戸惑ったりしないだけである。階級意識もたいていは中層の人びとより露骨で明白で、多様な層も微妙な区別も意に介さない傾向がある。彼らの階級レーダーは三大階級――労働者階級、中産階級、上流階級のみを感知する。労働者階級は「自分たちとポッシュな人たち」――本物の貴族階級や王族は別として、「ポッシュな人たち」の階層の区別はほとんどしない――上流階級はしばしば「自分たちと庶民」（礼儀正しく言うなら「一般人」）というように、ふたつにしか分けない。

単純に「U言語と非U言語」に二分したナンシー・ミットフォードは、そのよい例である。下層中産階級、中層中産階級、上層中産階級という下位区分は考慮せず、ごく微妙な違い、たとえば悩める中産階級にとって（また詮索好きの文化人類学者にとって）最大の関心事、つまり「地位が確立し、安定した上層中産階級」と「不安定な境界線上にいる上層中産階級」の識別もしていない。

とはいえ、上流階級と労働者階級が、階級の内部の、普通は気に留めないような細かい差異と階層を意識しているのは事実である。たとえば「旧家」（"old family"）、「土地所有の紳士階級」（"landed gentry"）、貴族という区分、またはわかりにくい爵位（公爵、侯爵、伯爵など）は、上流階級しか気にとめない。また労働者階級は「きちんとした労働者階級」と嫌悪すべき「チャヴ」や「パイキー」との区別や、下品な「成り上がり」と立派な「労働者階級の成功者」との違い（後者は「自分の出身階級を忘れず」「お高くとまらず」「人を羨まない」）を非常に気にする。イギリスの労働者階級には少なくとも上流階級や中産階級と同じくらい多くの境界線や区分がある。

中産階級と上流階級はこの区分を無視して労働者階級をひとくくりに扱うだけでなく、「チャヴ」ということばで十把ひとからげにする。このことによって、労働者階級の多くは自分たちを中産階級に位置づけるようになり、近年「アイデンティティ・シフト」を引き起こしている（調査では、以前は自分たちが「労働者階級」だと思っていた人たちの約半数がすでにそう思わなくなっている。これはかなり大規模のシフトである）。「労働者階級」はその名に反して、労働しない人、いわゆる「手当目当て」や「チャヴ」などを連想させる蔑視的な語となりつつある。「立派」で勤勉な労働者階級と、失業者の「底辺層」とのあいだには常に深い溝があった（少なくともきちんとした労働者階級はそう認識している）。かつて一六世紀には、貧困者は救済の「有資格者」（働けない者）と「無資格者」（働こうとしない者）に分けられていたが、この溝はそれに通ずるものがある。しかし現在では「チャヴ」を悪者扱いし、労働者階級内のカテゴリーをあいまいにすることが、逆に労働者階級全体のシフトをもたらしている。

労働者階級の「アイデンティティ・シフト」のもうひとつの要因は、マーガレット・サッチャーの率いる保守党と、それに続くトニー・ブレアの労働党が推進した「上昇志向」イデオロギーである。これは労働者階級であることに誇りをもつ多くの人びとの気概を削いだ。政府は長年にわたって、労働者階級の生活を改善することよりも、社会流動性（ひいき目にみても、依然として停滞したままであったが）を推進することに力を注いだ。労働者階級とはそこから脱出するべき身分のことだというメッセージを容赦なく浴びせられれば、労働者階級の多くが自ら「中産階級」を名乗るようになるのも当然である。「中産階級」は一部の人にとっては根本から定義が変わった。階級にかんする調査の合間の雑談で、労働者階級の美容師は「あたし、自分が中産階級だって言いたいんです」と言った。

「どういう意味があるの？　労働者階級でなくて中産階級だということに」とわたしが尋ねると、彼女は答えた。「品があるってことだと思う、たぶん。きれいな服を着て、人生の目標があって……ただのだらしない『チャヴ』じゃないってことです」

工業の衰退によって、最低賃金の職の多くは、今ではサービス産業に属し（昔ならコール・マイン（炭坑）で働いた者が今はコール・センターに勤務する）、従来のブルーカラーの肉体労働者というより「ホワイトカラー」、もしくは「ピンクカラー」〔従来は女性が就くことの多かった低賃金の職種〕とみなされ得るようになった。このような職についている人たちは、それが技術を要せず見栄えのしない低賃金の仕事であっても、疑いもなく自分を中産階級に位置づけるだろう。しかるべき賃金が支払われることによって中産階級だという錯覚に陥っているときはなおさらである。

興味深いことに、ごく最近まで事態は逆だった。調査で社会階級を尋ねると、今では「中産階級」のものとされる職種の人びとの多くが自分たちを「労働者階級」だと考えていた（たいていは誇らしげに）。このずれは、階級を決めるのは職業だと信じている人たちに混乱と議論をもたらした。彼らは頭をかきむしり、NRS（National Readership Survey：全英読者率調査）が定義する職業別社会階層表に基づいてA、B、C_1に分類される人びとが、なぜ自分を労働者階級だと決めつけるのかと悩んだ。今は、なぜC_2、D、Eの人びとが自分を中産階級と位置づけるのか訝しんでいる。*

階級的言語コードとイングリッシュネス

以上の階級的言語コードから、イングリッシュネスのどのような側面が見えるだろうか。どの文化にも社会階級制度と、社会的地位を示す方法がある。イギリス特有の極端な階級意識はさておき、イギリスの階級制度とその特徴は何か。

まず、われわれが確認した言語コードから、イギリスの階級は収入や職業とは関係がないことがわかった。「文化資本」として考えるとよりわかりやすいが、実生活（調査ではなく）のなかで、ほぼ間違

＊　NRSは以下のように分類している。A：上級管理職・行政職・専門職、B：中間管理職・行政職・専門職、C_1：監督・事務系下位管理職・行政職・専門職、C_2：熟練労働者、D：半熟練・非熟練労働者、E：年金受給者、臨時雇用労働者、失業者、生活保護受給者。

いなく階級を識別するものとして機能する唯一の文化資本形態が「言語資本」である。話し方がこのうえなく重要である。上流階級の語彙を上流階級のアクセントで話す人が上流階級だと認識される。たとえ所得が貧困線ぎりぎりであろうが、汚い単純作業の職に就き、さびれた公営団地に住んでいようが関係ない。職にあぶれた貧困層やホームレスであっても変わらない。同様に、労働者階級の発音でソファを「セティ」、昼の食事を「ディナー」と言う人は、巨額の富を得た大邸宅に住むビジネス界の大物でも「労働者階級」に振り分けられる。服、家具、装飾、車、ペット、愛読書、趣味、飲食などで階級を見分ける方法もあるが、話し方は即座に、明確に見分ける手段である。

ここで言う話し方の重要性は、イギリス人のもうひとつの特徴に関連している。ことばへの愛着である。よく言われるようにイギリスは美術より文学の国である。イギリス人は視覚文化より言語文化に向いている。「体感的」、つまり身体表現向きでもなく、触れ合ったり身ぶりで表現したりはしない。ことばこそわれわれに好適な手段で、それゆえ言語が社会的地位を表示し読み取るのに最も重要な手段たり得るのだろう。

このように階級の識別には言語的表現がよりどころとなり貧富や職業は無縁であることは、われわれの文化が能力主義ではないことをも想起させる。アクセントや用語はその人が生まれ育った階級を表わし、才能や努力の成果を伝えはしない。他の階級の発音や単語を習得しようと懸命に訓練でもしないかぎり、何を成し遂げようと、階級は常に話し方によって識別される。

非常に複雑な言語のあり方は、入り組んだイギリスの階級を反映している。すべての層に、細かい区分があり、階級を上がったり下がったりするところは双六のようである。また階級の否定は、イギリス人がとりわけ階級に敏感であることを示唆する。居心地の悪さをより顕著に感じているのは中産階級だろうが、誰もがある程度は心を悩ませて、階級の差は存在しない、もはや重要な問題ではない、少なくとも個人的には階級にたいして偏見などない、というふりをしたほうがいいと思っている。

ここで想起されるイギリス人のさらなる特質がある。偽善である。自分に根づいた階級意識を否定することで、人を欺こうというのではない。故意に他者を欺こうというのではなく、自己を騙しているのだとわたしには思われる。集団的自己欺瞞といってもよいのではないか。このイギリス人特有の欺瞞はふたたび顔を出すだろう。それはわれわれが突きとめようとしている「イングリッシュネス」の決め手となる特徴のひとつだと言えよう。

5 パブの作法

パブはイギリス人の生活と文化のひとつの中心である、とはガイドブックの決まり文句だが、事実そのとおりである。イギリスの文化におけるパブの重要性は、強調してもし足りない。成人人口の四分の三以上がパブに通い、その三分の一以上が「常連」で、週に一度は行く。多くの人にとってパブは第二の家である。年齢、社会的階級、教育レベル、職業を問わず、あらゆる人がやってくるパブは、社会科学者にとってイギリス人の「縮図」を観察できる絶好の場所でもある。イギリス人を少しでも理解しようと思うなら、パブで多くの時間を費やす必要がある。パブを知れば、イギリス国民性をほぼ完全に理解できよう。

「ほぼ」と留保をつけるのは、他国の酒場と同様に、パブが独自のルールと社会力学を備えた特殊な空間だからである。SIRCの同僚と、酒場を対象におこなった大規模な異文化間調査[1]によれば、飲酒はどの社会においても本質的に社会活動であり、どの文化にもともに酒を飲むための特定の場がある。調査は、酒場の「定理」とも言うべき、諸文化に共通の重要な三つの類似点を明らかにしている。

- あらゆる文化において酒場は特殊な空間、すなわち独自の慣習と価値観によって他と隔てられた社交場である。
- 一般的に酒場は、社会のさまざまな構成員が一体化し、平等な関係を作る場、少なくともパブの外の世界で通用するものとは異なる尺度でステイタスが決まる場である。
- 酒場の第一の機能は、社会的連帯の促進である。

このように、パブはイギリス文化の重要な一部だが、同時に「社会的限定区域」[2]であり、ある意味で「識閾」である。つまり両義的、周辺的、境界的な場所で、そこではある程度の「文化的寛解」――通常の社会的ルールの、構造化された一時的緩和ないし停止――が見られる（「正当化された逸脱」「タイムアウト中の行動」と呼ばれることもある）。パブでの会話がイングリッシュネスについて多くのことを語るのは、幾分かはこのような緩和ないし停止がそこに存在するためである。

1　ケイト・フォックス『飲酒の社会的・文化的考察』ロンドン、アムステルダム・グループ（*Social and Cultural Aspects of Drinking*, 2000, The Amsterdam Group, London）参照。

2　「社会的限定区域 social microclimate」は『競馬族』でわたしが導入したコンセプトである。この本のなかでわたしは、地理上の場所（島、低地、オアシスなど）が「独自の天候をうみ出す」といわれるのと同じく、社会環境（競馬場、パブ、大学など）もまた、主流の考えからはずれた行動パターン、規範、価値を備えた「限定区域」となることを示した。

パブでの会話

社交性

なぜパブがイギリス文化の重要な一部なのか？　それは第一に、パブが独特の社交場だからである。パブのカウンターは、まったく面識のない相手と話をすることが許容される数少ない場所のひとつである。そこではプライバシーや遠慮という通常のルールが停止され、慣習的な抑制が一時的に解除される。見知らぬ人と親しくことばを交わすことが、ここでは正常かつ適切なふるまいとみなされる。

外国人観光客はウェイターのサービスがないパブに、なかなか順応できない。[3] もっとも、喉の渇いた団体観光客が座って注文をとりに来てくれるのをじっと待っているさまは、イギリスの夏一番の、時に滑稽きわまりない光景ではある。これを見て、研究者としてのわたしがとった無情な行動は、ストップウォッチを取り出して、ウェイターが注文をとりに来ないことに外国人観光客が気づくまでの時間をはかることだった。（最短は敏感なアメリカ人カップルで二分二四秒、最も遅かったのがイタリア人の若者グループで四五分一三秒。彼らはサッカーの話に熱中しており、注文はどうでもよいようだった。フランス人のカップルは二四分待ってから、サービスが悪い、まったくイギリス人は、と足音荒くパブから出ていった。）だがわたしは十分なデータを得ると、外国人旅行者に同情が湧いてきて、ついには彼らのためにパブの手引きを書くに至った。そのための野外調査――約九か月にわたる全国規模でのパブ巡り――からも大いに役立つ材料を得た。

その本のなかに書いたことだが、ことばのやりとりがカウンターでのみ可能である以上、そこまで行って飲み物を手にする行為が、イギリス人に他人と触れ合う、他所では得られない貴重な機会を与える。つまり、ウェイターが注文をとりに来る場合には、客たちはテーブルごとに隔てられたままでいる。この状態は、生来社交的な文化圏の人びとには問題ではない。彼らは近くの席の人に話しかけることに何の抵抗もないのだから。だがイギリス人を弁護するなら、彼らは生来遠慮がちで内気なので、助力なしには手も足も出ない。彼らにとっては、カウンターで待ちながら「たまたま」会話に入っていくほうが、意識して隣のテーブルの人と話しはじめるよりもずっと楽である。ウェイター不在というシステムは、他人との交流を促進すべく目論まれているのだ。

しかし慎みや自制を一切無視するのではない。「文化的寛解」とは「無礼講」を高尚な学術用語で言い換えたものではなく、構造化され秩序づけられた枠組みのなかで、通常の社会的慣習を解くことである。パブでプライバシーという慣例が解除されるのは、カウンターにかぎられる。たまにカウンターのごく近くのテーブルでも起こりうるが、それは稀である。カウンターから最も離れたテーブルは、最も

3　現在ではこの決まりに該当しないパブもある。パブ付属のレストランや高級料理を供するパブ、また「バー」と「レストラン」に分かれているパブの「レストラン」にはウェイターがいるが、こうした例外は一層外国人の混乱を招く。

プライベートな場所とみなされる。ほかにも二、三の例外があり、稀に（紹介という面倒な手順を踏むが）ダーツ盤やビリヤード台などでも、他人同士がことばを交わす。だがそれはプレイヤーの近くに「立っている」人間にかぎられ、付近のテーブルでは依然として他人との交流は見られなかった。

イギリス人は、バーのカウンターでの社交を必要とするが、依然としてプライバシーを尊重する。パブにおける「社交」と「プライベート」の区分は、完璧な、非常にイギリス的な折り合いのつけ方である。ルールを破るときも、ルールのもとで安んじて破る仕組みがここにある。

見えない列

パブには、こみ入った会話の作法とは別に、イングリッシュネスを検証できる慣習がある。それは順番待ちのルールである。イギリスのバーカウンターでは注文するとき列を作らない。だがこれは唯一の例外で、本来、多くのコメンテーターが言うように、イギリス人にとって行列は国民的娯楽であり、バス停、会計レジ、アイスクリーム屋のワゴン、出入口、エレベーター、あらゆるところで彼らは整然と列を作り、さらに（わたしがインタビューした観光客たちが驚いたように）何でもない場所でこれといった目的もなく並ぶ。

ジョージ・ミケシュによれば「イギリス人は、ひとりでも整然と行列する」。最初に読んだとき、滑稽な誇張だと思ったが、それ以降、注意深く人を観察すると、それが事実であるばかりか、自分もそうしていることに気づいた。バスやタクシーを待つとき、わたしは、外国人がやるように停留所の近辺をうろついたりせず、標示の下で列の先頭にいるかのようにバスの来る方向を向いて立つ。イギリス人ならたいていそうするだろう。

しかし、酒場では列を作らず、カウンターに思い思いに集まる。これは一見、イギリス人の性質、作法、習慣に反するようだが、実は見えない列ができており、バーの店員も客も、順番を心得ている。注文は先にカウンターに着いた人からで、順番を飛ばして注文しようとすれば、店員に無視され他の客たちの顰蹙を買う。完璧とは言わないまでも、イギリスのバーテンダーは、次は誰の番かを見極めることに驚くほど長けている。並ばないというカウンターでの例外は実は見かけの例外で、秩序化されたイギリス的無秩序性のもうひとつの例にすぎない。

パントマイム

パブでの会話には、パントマイムのように、ことばによらないものもある。バーテンダーはつとめて客の注文を順番どおりにとるとはいえ、客も注意を引いて、待っていることを知らせる必要がある。ただしそこには厳格なルールが存在する。話しかけたり、音を立てたり、大げさで野暮な身ぶりで訴えたりしてはいけない。(またしても『鏡の国』で、実際のイギリス式マナーは小説より奇なり、である。)

一番よいとされているのは、微妙なパントマイムである。クリスマスに演じられるものではなく、イングマール・ベルイマン監督作品に見る、眉に語らせるたぐいのパントマイムである。バーテンダーと目を合わせたいとき、大声で呼ぶ、カウンターでコインをコツコツと鳴らす、指を鳴らしたり振ったりするなど、露骨に注意を引く行為はいずれも顰蹙を買う。

お金や空のグラスを手にもつことで、オーダーの順番待ちをしていることを知らせるのはよい。空のグラスを傾ける、ゆっくりと円を描く、のパントマイムも許容される（年季の入った常連によれば、これで時間の経過を表わすのだという）。このさいの作法はおそろしく細かい。たとえば、お金や空のグラスをもってカウンターに肘をかけるのはよいが、腕まで上げて紙幣やグラスを振ってはいけない。

待っているよというポーズに加え、僅かに不安を見せるパントマイムも必要である。客があまりくつろいでいると、すでに注文済みだとバーテンダーは思うかもしれないからだ。注文する客は、常に気を抜かずバーテンダーに目を向けていなければならない。目が合ったら、さっと眉を上げ、時には軽く頷き微笑みかけて、自分が待っていることを知らせる。相手はこうしたパントマイムに応えて微笑んで頷き、指や手を挙げたり、あるいは同じように眉を上げる。「あなたが並んでいるのはわかっています、すぐにうかがいます」という合図である。

イギリス人はこうした一連のパントマイムを直感的におこなう。厳格な作法に従っている意識もなく、妙なハンデ（声をかけない、手を振らない、音を立てないなど）を背負わされているのを疑問に思うこともない。外国人は眉を動かすパントマイムを面倒だと思い、観光客はイギリス人はどうやって飲み物を手に入れるのかと訝る。しかしこの方法は意外に効率的である。もめごとも騒ぎも口論もなく、全員がほぼ正しい順番で注文をとってもらえる。

パントマイム（とパブのもうひとつの不文律）の調査は、わたしが自文化に距離を置き、研究者として客観的に観察できるかについてを問うことでもあった。パブに通う他のイギリス人同様、わたしはこの奇妙でわかりづらいパントマイムの作法を疑問に思うどころか気に留めさえせず、無意識に実行してきた。しかしパブの手引きを書くためには、わたしは行きつけのパブでさえ「プロのよそ者」に徹しなければならなかった。当然のように受け止めてきたことを一旦白紙にする。つまり、歯磨きのように日常的で無意識かつ機械的な行為の一部始終を、精査し、分析し、疑問を投げかける。これは大変おもしろい（多少当惑はしたが）メンタル・エクササイズだった。その本が出版されると、このエクササイズの成果にも当惑したと話すイギリス人読者がいた。現在わたしは同じようなコメントを本書の〔第一版の〕読者から受け取っている。

パントマイム・ルールの例外

パントマイムにも重要な例外がひとつある。これもまたルールの存在を示す例外である。パブのカウンターで順番待ちをしているとき、バーテンダーに向かって「おい、今世紀中には酒が飲めるんだろうな」「早くしてくれ。先週の木曜日から待ってるんだ」と叫ぶなど、露骨なルール違反をする客がいるかもしれない。しかし彼らの真似をしてはいけない。こうしたふるまいは馴染みの「常連」だけに許される。無作法なもの言いの背後には、店員と常連間の特別な作法がある。

プリーズとサンキュー

しかし、飲み物を注文するさいは皆がルールに従う。通常、ひとりかせいぜいふたりがカウンターに行って仲間の分を注文し、勘定はひとりがまとめてする。(この方法はバーテンダーの負担を軽くするのみでなく、イギリス人が嫌う「ごたごた」が避けられる。これはもうひとつの複雑なルールとも関連している。順番におごるルールで、あとに述べる。) 次に、ビールの正しい注文の仕方だが、「パイント・オブ・ビター(あるいは「ラガー」)・プリーズ」、半パイントなら、縮めて「ハーフ・ア・ビター・プリーズ」と言う。(特定の銘柄を注文するときは、「パイント・オブ・(銘柄)・プリーズ」「ハーフ・ア・(銘柄)・プリーズ」と言えばよい。)

「プリーズ」をつけることが肝心である。外国人や初心者が注文するさい、他の間違いはまだしも、「プリーズ」をつけないのは重大な違反行為となる。同様に、飲み物やお釣りを受け取るさいは、「サンキュー」(あるいは「サンクス」か「チアーズ」、少なくともそれと同等の、一瞬目を合わせる、頷く、微笑むなどのしぐさ) をつけることを忘れてはならない。

パブにかぎらず、イギリスでは何かを注文、購入する場所すべてにこのルールが適用される。店、レストラン、電車、バス、ホテル、いずれにおいてもスタッフに横柄に接してはならない。必ず「プリーズ」と「サンキュー」をつけなければならない。逆もまたしかりで、バーテンダーや店員は「四ポンド五〇セント」のあとには「お願いします(プリーズ)」をつけ、代金を受け取るさいは「サンキュー」か、それよりくだけた礼のことばを添える。要するに、何かを要求するときは (店員だろうが客だろうが) 末尾に「プリーズ」をつけ、要求に応えてもらったときは (同じく双方が) 礼を言うのが原則である。

イギリス国民性にかんする調査期間中、わたしは自分が買物で何度「プリーズ」と「サンキュー」を言うか入念に数えた。その結果、新聞売り場やキオスクでの普通のやりとり (チョコバーや新聞を買うなどの）ではたいてい「プリーズ」が二回、「サンキュー」が三回（ただし「サンキュー」にかんしては上限がなく、往々にして五回だった）だとわかった。パブでお酒やチップスを頼むときもおおむね「プリーズ」が二回、「サンキュー」が三回であった。

イギリスは階級意識の強い社会だと言われるが、以上のようなルールからさまざまな点できわめて対等主義の文化でもあることが見えてくる。少なくとも、社会的地位の差をひけらかすことはない。サービス従事者は、客よりも社会的地位が低い場合が多いが（階級はことばからわかるので、両者とも階級の差を意識する）、彼らにへつらいは微塵もなく、客は礼儀と敬意をもって接するべきという不文律がある。ルールの常として、違反する人もいる。しかし違反すれば、非難をこめた眼で見られる。

「あなたもどうです？」——対等主義の原則

パブという特殊な社会的限定区域においては、対等関係を保つ礼儀作法がはるかに複雑で、固く守られている。たとえば、パブの主人やバーテンダーにはチップを渡す習慣がなく、かわりに一杯おごる。店の人にチップを渡すことは、相手にサービスを催促する無作法な行為になりかねないが、一杯おごるのは相手を対等とみなすことになるからだ。飲み物をおごるやり方は、礼儀正しさによる対等主義と、金銭の話を嫌悪するイギリス人の性質を反映している。注文のあとに「あなたもどうです？」と控えめに相手の意向を問うのが決まったやり方で、指図したり、空気を読まずに大声で気前のよさをひけらかしたりしてはならない。

注文時に、「あなたもどうです?」とつけ加えるのを忘れたら、あとで折りを見てバーテンダーに「一杯飲みますか」と言ってもよい。しかし、バーテンダーが客とともに酒を楽しみ、「ラウンド」（仲間内で順番におごること）に加わっているようにも見えるので「あなたもどうです?」式のほうが好まれる。またイギリス人は「おごる」ということばを避けたがる。「一杯おごりましょうか」という言い方は理屈としては同じことだが、金銭のやりとりがちらつくので使わない。金銭のやりとりであることを十二分に承知していながら、彼らはそこに目を向けることを嫌う。主人やバーテンダーが代金と引き換えにサービスを提供していること——そして「あなたもどうです?」式の儀礼は手の込んだチップにほかならないこと——を知っていても、両者の金銭的つながりを露わにするのは品のないこととみなされる。

店側も示しあわせて金銭の話を忌避する。「あなたもどうです?」の申し出を受けるときは、通常「どうも。ではハーフ（か何か）をいただきます」と言って、客が飲んだ合計額にその分を足した金額を明確に伝える。「五ポンド二〇ペンスです。どうも」。こうして客がおごった飲み物の値段をそれとなく知らせる。バーテンダーは安めのものを頼むという不文律を守り、客の負担にならないようにする。婉曲に合計額で自分の飲み代を伝えて、自分の慎みを心得た注文を客に知らせる意味もある。

チップではなく、飲み仲間への「合流」の誘いだということは、バーテンダーの対応によって確認される。バーテンダーは必ず客のほうを向いてグラスを上げ、「チアーズ」「サンクス」と言うが、これは通常「ラウンド」の仲間内で飲み物を受け取るときに言うことばである。バーが混雑していて、バーテンダーがすぐに酒に口をつけることができなければ、「あなたもどうです?」の勧めを受けて値段をつけておき、客の波が引いてから（可能なら）飲んでもかまわない。しかしどれほどあとであろうと、バーテンダーは酒を注いだら客と目を合わせ、頷いたり微笑んだりして――声の届くところにいるなら「チアーズ」と言って――グラスを上げる。

型どおりのチップより対等的とは言え、「一方通行のやり方」――おごるだけで返礼はない――は、やはり優位性の表れだと反論されるかもしれない。主人やバーテンダーからの見返りがないならば、それも一理ある。しかしバーテンダーは、返礼をするつもりがなければ、客、とりわけ常連におごらせようとはしない。総合的には客の持ち出しになるとしても、そうした損得勘定をする人はひとりもいない。店側からの返礼は、それがたまにであっても、同輩間の親密なやりとりという印象を保つのに必要なのである。

外国人観光客には「あなたもどうです？」の儀式が、不必要にまわりくどく面倒なチップの渡し方に見えるだろう。他の場所なら、小銭を渡すだけでよい（実際、イギリスでもパブ以外ではそうしている）。わたしの説明に、あるアメリカ人は不信と当惑を見せ、フランス人は「典型的なイギリス式偽善行為」だととりあわなかった。

この面倒なルールを粋だと言う外国人もいたが、奇妙だという点は認めねばならない。イギリス式の礼儀作法が非常に複雑であることは疑いの余地がなく、現実的な立場の違いを婉曲に否定し隠そうとする点では、明らかに偽善である。だが、それを言うならすべての礼儀正しさが偽善である。きまって、ふりが求められる。社会言語学者のペネロピ・ブラウンとスティーヴン・レヴィンソンによれば、礼儀正しさは「それによってやわらげようとしている攻撃性を前提とし、相手を侵害する可能性を秘めた者同士のコミュニケーションを可能にする」。侵害にかんして、ジェレミー・パックスマンは、イギリス人の礼儀や作法の厳格な規則は「彼らが自分の攻撃性から自分を守ろうとするところから発達してきた」と述べている。

ジョージ・オーウェルがイギリスを「この世で最も階級に支配されている国」と的確に表現したように、おそらくイギリス人は他の文化圏の人びとに比して階級や地位の差を強く意識している。婉曲表現や礼儀正しさで対等に見せる習慣は、隠れ蓑であり、手の込んだ芝居であり、心理療法医が言うところの「否認」の集団重篤症状である。上品な笑みが心からの嬉しさの表れではなく、丁寧な頷きが真の同意のしるしではないように、このような対等関係も社会的関係の実態を表わすものではない。命令や指示を依頼に見せるために「プリーズ」を繰り返し、友好対等関係の楼閣を維持するために「サンキュー」を忘れないのと同様、無作法で品のないお金と「サービス」のやりとりではないように見せるために、バーで注文するさいには全員が「あなたもどうです?」式の奇妙なやり方に従わねばならない。

偽善かと言えば答えはイエスである。礼儀正しさとは、見せかけ、ふり、偽り――つまり、さまざまな社会的現実を覆い隠す、人為的なうわべの調和と対等性なのだから。しかし、わたしは「偽善」とは相手を思いやって意図的に欺くことだと解釈している。一方、イギリス人の礼儀正しさに装われた対等主義は、集団的、いや協同的自己欺瞞でもある。礼儀正しさは、確かに偽りのない心情を反映するものではないが、利己的、打算的に欺こうとするものでもない。おそらく礼儀正しく対等を装うことは、イギリス人がお互いの面子を守るために、そして強い階級意識を好ましくないやり方でさらすのを防ぐために必要なのだろう。

前述したように、「常連客」のパントマイムのマナーには特別な決まりがあり、彼らのあいだではそれを破っても許される。無論、見えない列に割りこんでよいわけではない。割りこみはイギリス人が最重視する順番待ちのルール、ひいては、公平を重んじるという原則に違反する。ただ、常連ことばは「慣例からの、慣例化された逸脱」を具現し、イングリッシュネスを明確にするさらなる手がかりを与えてくれるので、詳しく見ておこう。

挨拶

常連がパブに入ると、他の常連客や店のスタッフに一斉に親しげな挨拶で迎えられる。店主やバーテンダー、常連客同士はたいてい名前で呼びあう。まるで「一族」のメンバー間の親密さや人脈を強調するかのように、パブでは必要以上に名前を呼ぶ。「本来の」イギリス人の会話の慣習では、他の文化にくらべて名前を呼ぶことが著しく少なく、頻繁に呼ぶと、アメリカ人のようで鼻につくと顰蹙を買うのとは対照的である。

パブの常連客同士の連帯は、ニックネームを用いることでさらに深まる。パブはいつも「ちび」（"Shorty"）「よくばり」（"Yorkshire"）「博士」（"Doc"）「のっぽ」（"Lofty"）などと呼びあう人たちで溢れている。一般的にニックネームは親密度の高さを示し、普通は家族や親しい友だちだけが使うものだが、ニックネームの多用はパブの常連と店のスタッフ間に帰属意識を――社会科学者にはイギリスのパブにおける社会的関係性にかんする有益な見識を――をもたらす。[4] 常連客は「パブ用ニックネーム」をもっており、意外にもパブを一歩出れば友だちや家族さえそれを知らない。パブ用ニックネームはたいていアイロニックで、たとえば、背の低い常連客が「のっぽ」と呼ばれる。

常連客はパブのスタッフや仲間に「やあ、ビル」「調子いいかい、ビル」「変わりないかい、ビル」などの挨拶で迎えられる。そのひとつひとつに、「こんばんは、博士」「やあ、ジョー」「まあまあだよ、のっぽ」「ああ、ありがとう、マンディ」と、名前かニックネームをつけて返さなければならない。こうしたやりとりで使われることばは決まっておらず、創意に富み特異でユーモアがあり、「ちょうどおごる番がまわってきたとこだ、ビル！」や「また来たのか、博士。帰る家がないのか？」など嘲りを含むものさえある。

コード化された会話

パブで多くの時間を費やせば、そこでの会話の大部分が「演出」であることに気づくだろう。決まったパターンをなぞり、厳格なルールに従って会話が繰り広げられる。しかし、当事者にその自覚はない。演出されたパブ・トークは、部外者にはぴんとこなくても、会話についていくことはできる。しかし部外者にはまったく理解不能で、特定のパブの常連客にのみ通じるたぐいの会話もある。常連客が隠語を駆使し、コード化して話すからだ。以下は、調査で得たコード化されたパブ・トークの典型例である。

混雑した日曜のランチタイム、とある近郊のパブのカウンターに数人の常連客が集まり、バーテンダーが相手をしている。男性の常連客が入ってくると、カウンターにたどり着く前にバーテンダーが彼のいつも注文する飲み物を注ぎ始め、お金を出そうとポケットを探る彼の前にそれを置く。

常連1　「肉の野菜添え」はどうした?
バーテンダー　さあ、今に来るでしょう。
常連2　ハリーしてるんだな。
（笑い）
常連1　じゃ、彼に樽詰め一杯。あんたも?
バーテンダー　ロンで一杯もらいます。どうも。

この会話を読み解くには、最初の問いかけの「肉の野菜添え」が料理ではなく、別の常連客を指していると理解する必要がある。「肉の野菜添え」はニックネームで、少しぼんやりで保守的な性格（肉に野菜を二種類つけあわせるのが、最も伝統的で変わり映えのしないイギリス料理の一皿である）を指す。

4　無論、ニックネームは、敵意や社会的相違、社会的規制を含むよそよそしい関係を表わすのにもよく用いられるが、パブではその使い方はされない。

このようなウィットに富むニックネームがたくさんある。別のパブには、Three（「3」）Letter（「文字」）Acronym（「頭字語」）のイニシャルをとってTLAと呼ばれている常連がいるが、これはビジネススクールで使用される頭字語を彼が連発することをからかっているのだ。

また、「ハリーする」が、このパブでは「迷子になる」の符号であることを知っていなければならない。ハリーも常連客のひとりだが、ぼんやりしていて、三年前に不覚にもパブに来るまでの道に迷ったことを今もからかわれている。「彼に樽詰め一杯」はパブ・トークのローカルバージョンで、「代金を払っておくから、彼が来たら樽詰めのビールを一パイント出してやってください」という意味である。（「彼に〜を注いでください」や「彼に〜をとっておいてください」のフレーズのほうがよく使われる。「彼に樽詰め一杯」は地域方言的な言い方で、主にケント地方で使われる。）「あんたも？」は、飲み物を勧める決まり文句「あなたもどうです？」の省略形で、バーテンダーが言及している「ロン」は人ではなく、「レイター・オン」（"later on"）〔あとで〕の縮約形である。

つまりこういうことだ。常連1は、保守的な常連客「肉の野菜添え」が来たら（彼がハリーの轍を踏まず道に迷わなかったら）すぐ酒を出してやってくれと言って代金を払い、バーテンダーにも一杯勧め、バーテンダーはあとで時間ができたら飲むと言ってこれを受けている。このパブ族の一員になって、エピソード、ニックネーム、ひねり、コード、省略ことば、内輪の冗談に馴染めば、実に単純な内容だとわかる。

全国規模の学術的パブ巡りでは、どのパブにも内輪の冗談、ニックネーム、決まり文句やしぐさにかんする独自のコードがあることが明らかになった。家族や夫婦、学友、同僚など他の社会的グループにおける「内輪ことば」同様、コード化されたパブ・トークは常連客同士の社会的連帯のみならず、対等意識も強固にする。「本来」の社会的地位とは関係なく、パブでの待遇や人気は、まったく異なる要素、つまり個性や癖、習慣にかかっている。「肉の野菜添え」は銀行の支店長だろうが、失業したレンガ職人だろうが関係ない。ニックネームは彼の無難な好みと保守的な人生観を親しみをこめてからかったもので、その個性ゆえに彼はパブで愛される。「ハリー」はぼんやりした大学教授かもしれず配管工かもしれない（大学教授ならニックネームは「博士」だったろうに）。配管工が気の毒にも「漏らし屋」というニックネームで呼ばれているのを聞いたことがあるが、ハリーがローズ・アンド・クラウン・パブで喜ばれ、からかいのたねにされているのは、職業でなく彼のぼんやりした性格である。

つまりコード化されたパブでの会話は交流を促し、対等主義の価値を強化する。しかし先に述べたように、交流の促進はどの文化においても酒場の主要な機能であり、どこの酒場も皆、社会のさまざまな構成員が一体化し、平等な関係を作る場となりやすい。では、コード化されたパブの会話に連帯と対等主義が組み込まれていることのどこがイギリス的なのか。

一風変わった作法を励行し、常にユーモアやウィット、言語上の創意工夫が求められる点で、確かにパブでの会話はイギリス的である。しかし、連帯や対等主義を促進するという酒場の「普遍的な」性質は、主流の文化からの逸脱の度合いによってこそ際立つ。本来のイギリス文化は、他の社会よりも、深い慎みと抑制、広範で強い階級意識に彩られている。社交性や対等性がイギリスの酒場に特有なのではなく、規範との対照が著しいのだ。おそらくイギリス人は、対等性を促進する酒場を、規範が解かれる限定区域として、他の社会より必要としてきたのだろう。

先に述べたように、常連客にはパントマイムのルールが適用されないばかりか、「おい、ちび、そのくだらないお喋りをいいかげんにやめたら、もう一杯注文してもいいぞ。ご迷惑じゃなければな」などと言っても許される。こうした冗談、応酬、からかい（しばしば辛辣なアイロニーを含む）は常連客とバーテンダー、または常連客同士でごく普通に交わされる。

パブでの口論は「本当の」口論と違い、こうした冗談の延長線上にある。パブでは、とくに男性同士では、口論が最も一般的な会話のかたちと言ってもよく、激昂しているように見えるときもある。しかし大方は、パブの十戒の第一戒に基づく厳格な作法に沿っておこなわれている。「汝、何事も深刻に受け取るなかれ」

パブでの口論も、この特殊な状況でどのような社会的行動をとるべきかを定めた「暗黙の掟」の原則に従っている。この掟によれば、パブでは対等で相互的で親密な交流を深め、相手を攻撃しないことを暗黙の了解としている。人間関係を研究する者は、この原則があらゆる交流の基盤にあり、パブでの口論の本質的な目的は交流を深めることであると認めるようになるだろう。

パブでの口論が（前述の「ぼくのもののほうがいい」と同様）本質的にはゲームのようなものであることは、明言されずとも広く了解されている。パブの常連たちが熱中する陽気な論争には、確固たる意見も深い確信もない。ちょっかいを出したいだけである。常連はあらゆることで、あるいは何でもないことで、ただ楽しみたいがために頻繁に喧嘩をもちかける。退屈している常連がわざと突飛で極端な口論のたねを作り、あとはゆっくりとお決まりの「ばかやろう！」が出るのを待つ。すると煽り役が、内心では説得力がないことを承知しつつ反駁する。彼はまた、相手の愚鈍や無知など無礼な事柄をもち出して反撃する。やりとりはこの調子でしばらく続くが、いつのまにか応酬は本題をそれ、別の喧嘩に移っている。パブの男性客[5]は口論がしたくて、いかにたわいない話題も議論の種にしているかのようである。

彼らはどこからともなく口論を生み出すこつを知っている。必死の競売人が、不在の買い手が入札しているかのように値を吊り上げるのに似て、彼らは、誰が言ったわけでもない主張を激しく否定し、何も言っていない相手にたいして黙れと言う。それを誰も咎めないのは、他の常連たちも口論のうまい口実を探しているからだ。以下は地元のパブでわたしが聞いた典型例である。

常連1　（責めるように）なんだと？
常連2　（戸惑ったように）なにも言ってない。
常連1　言っただろう！
常連2　（まだ戸惑い気味に）言ってない！

5　女性も時にはこうしたパブのふざけ半分の言い合いゲームに加わることもあるが、男性よりも頻度は少なく、ずっと冷めている。女性の言い合いは本気になりやすい。

常連1　（けんか腰で）言ったじゃないか、俺がおごる番だって。俺じゃない！
常連2　（気づいて、調子を合わせ）そんなことは言ってないが、今あんたがそう言ったんだからあんたの番だ！
常連1　（いきりたったふりで）馬鹿じゃないか、ジョーイの番だろう。
常連2　（馬鹿にしたように）じゃ、なんで俺につっかかってくるんだ、え？
常連1　（心から楽しんでいるように）違う、あんたから始めたんだ！
常連2　違う！
常連1　いや、そうだ！

ビールをちびちび飲みつつ、男たちの口論にじっと耳を傾けている女たち特有の寛大さと多少優越感の混じった笑いを浮かべて観察しているうちに、議論はとりとめなく他の話題に移り、互いに相手に酒をおごりあい、しまいには例によって何を議論していたのか忘れ去られる。パブでの口論に、勝ち負けはない。（伝統的イギリス紳士の信条「勝つことではなく、参加することに意義がある」がいまだ健在であることを思い出させる。）敵は一番の友であり、全員が楽しい時間を共有する。

意味のない幼稚な喧嘩は、親密さを深め相手を攻撃しないことを謳うパブの掟に違反するように見えるかもしれない。しかし、相手への関心、感情、信念、態度、願望を露わにし、同時に仲間のそうした行動も見ることができるパブでの口論は、イギリス人男性にとって親密さを深めるのに欠かせない手段である。口論は、もっと親しくなりたいという意図をさらすことなく、男っぽいやり合いに見せかけて親密さを育む。イギリス人男性の攻撃性はもっぱら無害な舌戦に注ぎ込まれ、おごりあいが「握手のシンボル」となって、口論がエスカレートしてむきになったり殴り合いになったりするのを防いでいる。[6]

無論、似たような口論は男たちのあいだでパブの外でも――たとえば、同僚、スポーツのチームやクラブのメンバー、あるいはただの友だちのあいだでも――ほぼ同様の手順でおこなわれているが、パブでの口論はイギリス人が男同士の絆を深める口論の最も典型的な例である。他文化の慣習にも男性特有の口論はあり、こうした「儀礼的口論」には、いかなる侮辱や攻撃も深刻に受け取ってはいけないという暗黙の了解がある。だが、生来の「むきになること」を嫌う性質――さらに言えばアイロニーへの偏愛――によってこの暗黙の了解が容易に得られ、守られる点は、明らかにイギリス的であるといえよう。

自由連想法

パブでは、数分で話題を変えないと、むきになっているととられるかもしれない。精神分析医が用いる療法に「自由連想法」がある。セラピストが患者に、特定のことばやフレーズからの連想を自由に話させるものだが、イギリス人のパブでの会話は、自由連想療法を想起させる。自由連想法と重ねて考えれば、パブでの会話がもたらす効果を明らかにするのに役立つだろう。パブでは普段控えめで用心深い

6　無論、パブで口論がエスカレートして殴り合いになることもある。しかしここで述べたタイプの口論は常習的に繰り広げられ、調査では、ルールの一線を越えたとき以外は殴り合いになることはほとんどなかった。

イギリス人が自制を解いて、心によぎったことを何でも声に出す。

パブでの会話は自由連想式なので、論理的に進められる必要はなく、要点からはずれても結論にたどり着かなくてもよい。パブの客が自由連想式で会話を進めるとき――ほとんどいつもそうなのだが――特定の話題に焦点を合わせるように誘導するのは無駄で、不興を買うだけである。

自由連想式のパブでの会話は、どこに向かうかわからない。たいていは、行き当たりばったりであちこちに跳んでいる。天気についてのコメントがどういうわけかサッカーをめぐる些細な口論を引き起こし、テレビドラマの登場人物の行く末を予想するきっかけとなり、最新の政治スキャンダルの議論へと発展し、バーテンダーの性生活をからかう引き金となり、クロスワードのヒントを教えてくれと急かす常連に遮られ、今度は最近の健康の不安についてのコメントへと引き継がれ、いつのまにか別の常連の壊れた時計バンドをめぐる議論に変わり、誰がおごる番かという内輪もめが始まる、など。前後関係にかすかなロジックが見えはしても、ほとんどの場合、話し手たちが発する手当たり次第のことばで不意に話題は転換される。

自由連想式会話の本質は、深刻さの回避のみではない。それは、つかの間よろいを解き、従来の規範から抜け出すことを許す。人は心に浮かんだままを口にすることにくつろぎと心地よさを感じるものだが、イギリス人のあいだではこの種の行き当たりばったりの会話は普通親しい友人や家族のあいだでのみ交わされる。しかしパブでは、それが面識のない者のあいだでも自然に交わされている。常連客には見慣れた光景だが、カウンターでは見知らぬ者同士でもとりとめのないお喋りに楽に入りこめる。いずれにせよ、同じパブに定期的に頻繁に通う者同士が必ずしも、というよりたいていは、通常の意味においての親友というわけではない。長年、毎日のように会ってとりとめのない話をしていても、常連仲間が互いを家に招待しあうことはほとんどない。

パブでのイギリス人の自由連想式会話は、見知らぬ同士であっても、仲のよい家族の気のおけない会話のようである。控えめで打ち解けにくく、自制心の強いイギリス人の性質に反しているように思われるが、近くで注意深く観察してみると、限界と制約が見えてくる。つまりこれは、厳格な制約と規定のもとにおこなわれる文化的寛解のもうひとつの例である。自由連想式会話は「パブリック」な会話の通常のコードを逸脱した、「プライベート」で「親密」なゆるい会話だが、あくまでも制約がある。パブでの会話の構造は、親しい友人や家族とのプライベートな会話に似ているが、内容ははるかに制限されている。自由連想とはいえ、パブ仲間相手に（たまたま相手が親友なら別だが）感情をぶちまけたりはしない。うっかり漏らしでもしないかぎり、内面の不安や秘めた望みを見せたりはしない。

事実、第一戒に従って冗談交じりで話題にのせるなら別だが、「個人的」な事情について話すことはまったくない。誰かの離婚、鬱、病気、仕事上の問題、子どもの非行、その他プライベートのいざこざや弱点についてからかうのはかまわない。人生の悲劇についての辛辣なユーモアはパブでの会話の基本である。しかし本気で心のうちを打ち明ければ、眉を顰められる。無論、パブでこうした湿っぽいやりとりもされるが、それは友だち、カップル、家族間のプライベートな会話であり、バーカウンターでするにはふさわしくないとみなされる。何より、プライベートな会話は自由連想法の及ばない少数の人のあいだで交わされるものである。

パブの作法とイングリッシュネス

以上で見たパブの作法から、どのようなイギリス国民性が浮き彫りになっただろうか。

社交性にかんしては、天気の話で明らかになった会話の機能——主に社会的抑制を取り払う「潤滑油」としての役割——が再確認された。だが新たなひねりも加わっている。第一に、社交性の促進において、イギリス人はプライバシーが損なわれないように細心の注意を払う。第二に、社交には厳しい制限と留保がともなう。つまり、慣習の逸脱は規制と秩序のもとにおこなわれる。

見えない列の慣習にも、「秩序化された無秩序性」が見られた。列に並んで待つことは、「公平さ」を重んじることにほかならない（伝統的イギリス人の「フェアプレイ」の尊重はいまだにわれわれが考えるより強いのかもしれない）。パントマイムという慣習からは、ふたたび作法が論理を凌ぐことが確認できた。ごたごたや騒がしさや注目を浴びることを著しく嫌う性質に加えて、イングリッシュネスの決定的特徴が抑制にあることが、ここでも例証されている。

「プリーズ」と「サンキュー」の慣習からは、礼儀を最も重んじ、ことさら階級や地位の差から注意をそらそうとするイギリス人のこだわりが確認された。「あなたもどうです？」の慣習は、イギリス人の「礼儀正しさに装われた対等主義」の欺瞞と美徳を露わにしている。

常連の会話に現れる慣習からの逸脱は、イングリッシュネスの理解にとって、ことに豊富な材料を提供してくれる。挨拶のとき名前（やニックネーム）を頻繁に呼ぶ習慣は、本来のイギリスの会話コードとまったく対照的である。本来のコードでは、名前を連呼することは、なれなれしさとして顰蹙を買う。だがイギリス人が、表向き上品に行儀よく、このようななれなれしさにたいして冷ややかな態度をとる裏には願望があり、それをパブという限定区域でのみ表出するのかもしれない。

コード化されたパブでの会話からは、イギリス人が苦手とする社交を促進する酒場の機能に加えて、「逸脱」という、本来の社会のヒエラルキーから抜け出させる機能が浮き彫りになる。親睦を深めることと対等関係を結ぶことは酒場の普遍的な機能だが、とりわけイギリス人の場合は日常的規範との対照がそれを際立たせている（唯一日本人が似ている。おそらく慎みや形式、社会的立場の違いにひどく敏感な文化をもつ、狭く密集した島国社会だからだろう[7]）。また、コード化されたパブでの会話と口論には、鋭いウィットや言語にかんする創意に加えて、イギリス人の会話における最大の特徴であるユーモアが根底にある。最後に、自由連想式会話にも、規制された規制緩和、秩序化された無秩序、分別のある（見せかけの）無分別が確認できた。

7　日本が実際はひとつではなく複数の島から成る国であることは知っているが、わたしが言いたいことはおわかりだろう。

6　競　馬

競馬人口は、パブの人口にくらべてかなり少ないが、競馬場はパブ同様にイギリスを代表する場である。実際それはイギリスのあらゆる階層の人びとを満遍なく引き寄せる点で、サッカーよりも国民的スポーツと呼ばれるのにふさわしい。パブと同じく、競馬に集うのはあらゆる年齢の、あらゆる階級の人びとである。最上層と最下層の人びとが実際の人口に照らしてやや多く、中間層にはいくつか小さな空白部分も見られる。たとえば上層中産階級のインテリはやや少ないが、この口うるさい少数者は他の場所で十分注目を集めているので、競馬場での数の少なさはさほど問題にしなくてよいだろう。

パブのように、競馬は社会的小宇宙で、そこではある程度の「文化的寛解」が見られる、つまりいくつかの社会的ルールや制約が一時的に停止される。だが競馬の場合に特徴的なのは、抑制の弛緩とすばらしくよいマナーとの珍しい結合である。このような結びつきを、――少なくとも競馬場で見るほどの緊密な結びつきを――わたしはイギリスの他の公共の場で見たことがない。このふたつの要素は普通イギリス人のあいだで（また他のどこにおいても）相互排除的である。人びとは抑制を脱ぎ捨て暴言を吐く、逆に非常に礼儀正しくふるまう、のどちらかをしても、普通はこの両方を同時にすることはない。

初めて競馬場に行ったとき、この例外的な現象が印象的で、かつ興味深かったので、わたしは三年を費やして競馬というサブカルチャーを研究し、最終的に本にまとめた。[1] しかしわたしが本書に競馬の話を入れるのは、競馬族に馴染みが深いからではなく、競馬場ではイギリス人の民族衣装ともいうべきふるまい方——ある意味ではイギリス人の戯画とも言えようが——にもかかわらず彼らの最高かつ最も好ましい姿が見られるからである。

競馬場での会話

紹　介

競馬という小宇宙の慣例を理解するにあたって、競馬場の外の「主流」文化の特徴を確認する必要がある。そのために今一度、未知の人に話しかけることが容認される場はイギリスにはほとんど存在しないと強調しておきたい。イギリス人は、しかるべき理由がないかぎり、駅でもバスのなかやスーパーの行列でもめったに人に話しかけない（目を合わせたり、微笑みかけたりさえしない）。何年ものあいだ

1 『競馬族——馬の観察者を観察する』（アメリカ版のタイトルは『競馬族——イギリスのあるサブカルチャー』）

毎朝同じ電車に乗っている通勤者同士が、ひとことも交わしたことがない、ということがままある。これは神話でも誇張でもない。わたしはそれを何年も見ており、何百回ものインタビューで確認している。われわれはもっともな理由がなければ見知らぬ人に話しかけず、友好的であろうとして公共の場でたまたまそこにいる人相手にお喋りを始めることはない。

パブのカウンターは遠慮という一般的なルールの例外である。競馬場ではこのルールからのさらに著しい逸脱が見られる。パブでは、未知の人に話しかけないという通常のルールが破られてもよい領域はカウンターだけである。競馬場ではカウンターのみならず、正面観覧席、下見所、馬券売り場の列、ほとんどの場所で、まったく知らぬ同士が目を合わせたり、微笑んだり、親しくことばを交わしたりしている。

だがここはイングランドだから、当然そのような会話も厳密かつかなり複雑なルールにのっとっておこなわれている。それは普通「次のレースはどれにしますか?」「次のレースはどれにしますか?」というう質問で始まる。(あるいは「二時半のレースはどれにしますか?」「次のレースの予想は?」など。ことばは決まっていないが、特定のレースで相手がどの馬が勝つと予想するかの問いでなければならない。)

「次のレースはどれが勝つでしょうか?」はもちろん会話を円滑に進めるためのスタートで、天候の話の場合の「いいお天気ですね」と同じ慣習的機能をもっている。言い換えれば、次のレースの勝ち馬を本気で尋ね、情報や意見を求めているのではなく、「あなたとお話ししたいのですが、よろしいですか?」という友好的な挨拶にすぎない。それは社交的やりとりを始めるさいの、基本的でどんな目的にもかなう挨拶で、競馬の常連はそのようなものとして受け取る。だがきまりによって、問われた人間はあたかも本気で質問をされたかのように応答しなければいけない。

そのプロセスを容易にするために、「小道具」の使用が許されている。それは出馬表という小さな冊子だが、多目的に使うことができる。見たところ、それはその日のレースのプログラムで、それぞれのレースに出馬する馬と騎手、その日のコンディション、コースの見取り図、設備、その他の有用な情報が記載されている。だが実際にはそれは社交に不可欠な小道具で、未知の人と話すきっかけを作り、知己が相手の場合は円滑な会話を助け、求愛の儀式では親密さを深め、あらゆる意見交換や議論を支えてくれる。それが社交で果たす最も重要な機能は、「転位行動」としての機能である。会話で気まずい空白が生じたとき、やりとりがゆき詰って困惑したとき、彼らは出馬表に目をやる。

「次のレースはどれが勝つでしょうか?」、あるいはそれに類した質問は適切な「出馬表を使う身ぶり」をともなうのが決まりである。自分の出馬表を出して該当のページを示す、相手の出馬表を見ようと身を乗り出す、相手の出馬表の横に自分の出馬表を置く、あるいは大胆にもふたつの出馬表が重なりあうに任せる――こうして自分が相手とかかわろうとすることを象徴的に示すのである。

謙遜

「次のレースはどれが勝つでしょうか?」への応答は、応答する人間の競馬知識のレベル次第でさまざまである。まったく知識がなくてもハンデとはならない。事実それはむしろプラスであることにわたしはすぐに気づいた。「謙遜」という決まりを容易に実行できるからである。謙遜はおそらく競馬場での会話で最も大事な決まりで、「汝自慢するなかれ」を通り越してもっと先まで行く。確かにどんな場面でも自慢は禁物で、いかなるかたちであれ、自己顕示的、尊大なふるまいはご法度である。しかしこの場合に謙遜の決まりはそれよりも厳しく、自分を貶め卑下することを要求する。

たとえ勝ち馬を当てる天才であろうと、それを吹聴してはならないし、できれば過去における自分の不名誉な失敗を自嘲したジョークにするのがよい。馬券のスクリーンやブックメーカーの掲示板である馬のオッズが伸びているとき——その馬に賭ける人が少ないという印だが——決めぜりふは、くすくす笑いながら「なるほど、わたしがこの馬に賭けたことが知れわたったんだ！」

コラムに自分の予想を書き、誰が最高の的中率かを互いに競う職業的競馬ジャーナリストさえ、社交の場面では常に謙遜のルールに従っている。実際、次のレースの予想を尋ねたときの、最もおかしな答えをしたのはある競馬ジャーナリストで「ぼくに予想を訊くなんてよそうや」

この答えが気に入ったわたしは、競馬場での調査のさいにそれを何度も借用したが、そのたびに笑いを誘い、いつも親しい気分を盛り上げてくれた。だが親密さを醸し出すのに、おかしな語呂合わせがいつも必要なわけではなく、自分が勝ち馬を当てられないことを卑下的に表現するのが、予想を訊かれたときの適切な応答であり、それによって競馬仲間たちの好感を引き出すことができる。自分の目当ての馬の名前を出してもよいが、その前には、どうせはずれますが、とへりくだった前置きをつけること。

騎手や調教師の場合には、さらに自慢を慎み謙譲を示すのが決まりである。少しでも満足げな態度を見せたり、称賛を受けることさえ、不運を招くという迷信的な信念が存在している。優勝してメディアのインタビューを受けるときには、騎手も調教師も勝利は自分がもたらしたのではなく、すべては馬の手柄、調教師の（騎手の）おかげ、グランドあるいは天候がよかったため、獣医、蹄鉄工の腕のよさ、単なる幸運のためだと言うのが普通である。

馬主にも謙遜が求められる。馬が勝たなかったときは、比較的容易だが、それでも自分を貶めて、馬の出来の悪さをユーモアと愛情たっぷりに表現し、こんな馬のために金を無駄にする愚行や、馬の隠れた力を信じ続ける自分の馬鹿さ加減を、手を替え品を替えて言わねばならない。そう言いながら、途方に暮れたように肩をすくめたり、唇をへの字に曲げて悲しげに微笑んだり、万策尽きたように眉を寄せるのがよい。持ち馬が優勝したときは（統計的に見てこれが起きる確率は低いが）いかなる自賛も禁物である。たとえ自分の手で馬を飼育したとしても、すべての手柄は馬、調教師、騎手、厩舎のスタッフ、馬の祖先、獣医、天候に帰着させねばならない。どんなことがあろうと、満足げな態度を見せず、自分の幸運に戸惑い困惑したふうでなければならない。

礼儀

競馬場という小世界での会話のルールは、ある点ではイギリスの「主流文化」のルールからの逸脱（正常の抑制の弛緩）を示しているが、他の点では「主流」の制約や規制の強調も明らかに見られる。競馬場では、普通は白眼視される行動（飲酒、自己顕示的装い、賭博、さらに他人との会話）が許されるばかりか、積極的に奨励されている。だが同時に競馬の常連は、日常の習慣よりも強い規制・抑制に従っている。競馬場では文化的寛解と同時に、まさにその対極にある文化的強調（と言ってよければ）

ないし拡大が見られる。

イギリス人は礼儀正しさで知られており、幾多の例外や逸脱にもかかわらず、礼儀は、この本の序章で述べた「ルール」のどの意味においても、イギリス人のルールである。それはいまだにガイドラインであり基準であり、物ごとのあるべきかたちとみなされている。すべてのルールの例に漏れず、それはしばしば破られるが、違反が注目され非難されることで、原則の健在が証明される。だが競馬場では「正常な」礼儀正しさが拡大され誇張され、違反は稀である。

競馬場ではあらゆる場面で「どうぞ」「ありがとう」および「すみません」を始めとする数々のお詫びのことばが聞かれる。それにとどまらず、常連たちは互いにドアを開け、相手のコートやバッグを互いにもちあう。誰かが少しでも迷っている様子を見せれば、すぐに助けて案内をし、相手が損をすれば慰め、うまくいけば喜ぶ。うっかり相手にぶつかったり、何か迷惑をかければ必ず謝る。序章に書いた、人にぶつかる実験で、競馬場の人びとは最高得点で、わたしが偶然を装ってわざとぶつかると、被害者の九〇パーセント近くが向こうから謝った。ニアミスの場合でさえ、ほとんどの相手は「すみません」と言った。(普通はイギリス人の決まったやり方で、ほとんど聞き取れない声だったが、時には一瞬目を合わせ、微笑む人もいた。)

出馬表の複雑な数字や記号がわからないときは、そこにいる誰かをつかまえて説明を求めればよい。ほとんどの場合相手は辛抱づよく礼儀正しく教えてくれる。その人もよくわからない場合には、ことばを尽くして謝り、できれば助けてくれそうな人を見つけようとする。これは誇張ではなく、調査の過程で競馬に来ている人たちと会話を始めるさいに、わたしが好んで使った方法である。ほとんどいつもうまくいった。[2]

調教師、裁決委員、馬場取締委員、また他の多忙な担当者をターゲットとした場合も、この方法はうまく機能した。彼らにとって素人まるだしのわたしの質問は仕事の邪魔だったに違いない。にもかかわらず、裁決委員の対応は「まことに申し訳ありませんが、この馬をレースに出さなければならないので。馬主が待っていて、とてもうるさい人なんですよ。どうかお許しを……」裁決委員は質問に応答できないことを、騎手はレースに出なければならないことを謝る。

謙遜と同様、礼儀も競馬場での会話のあらゆる部分に浸透している。ほとんどの場面で謙遜や礼儀の決まりは単に、「主流」であるイギリス的礼儀正しさの誇張だが（時には戯画と言ってもよいが）、ひとつの点で競馬場での会話の礼儀はその日常的あり方と著しく異なっている。スポーツ記者は一般に活字の上では、イギリス文化のなかで最も非礼儀的人種である。彼らの書き方は概して非常に挑戦的で、しばしば出来の悪い、彼らの基準に達しなかった選手、コーチ、マネージャーらを攻撃、非難し、無能や怠慢を責める。侮辱的な見出しや「恥！」とか「不面目！」などという表現は普通である。それと対照的に競馬記者たちのレポートやコメントはきまって礼儀正しく、彼らが取りあげる騎手や調教師への非

2　この結果に性別や外見が影響を及ぼしていないことを確認するために、わたしは男性たちを買収して同じ実験のためのモルモットになってもらったが、結果は同じだった。小柄な女性であることは、いかなるときも助けが得られやすいが、背の高い男性の友人や同僚たちでさえ、上に述べたやり方で容易に会話を始めることができた。

難は慎重に避け、称賛は惜しみなく与えている。

前評判の高かった本命が負けたとき、「期待に応えなかった」とだけ言うのが決まり文句である。騎手や調教師の説明や弁明はそのまま、しかるべき敬意をもって引用される。礼儀のルールによって、非難が直接特定の人間に向けられることはなく、巧みな婉曲表現が用いられる。したがって競馬記者は調教師が馬を走らせすぎたと責めることはせず、馬の「期待以下の」仕上がりは「おそらく疲労の積もる長いシーズンのためであろう」と書く。騎手が下手な乗り方や不適切な戦略を批判されることはなく、本来先行逃げ切り型のこの馬は「抑えた走りには適していないようだった」と書く。(もちろん誰もがこうした婉曲表現の真意を知っている。他の場合と同様、競馬でもイギリス人の礼儀と偽善は表裏一体である。)

この礼儀厳守は、競馬の名士たちの生活の別の面にも及んでいる。競馬記者は馬のドーピング・スキャンダルや他の不法行為にかんする公的取り調べを報じることはする。だが他の新聞の三面記事やゴシップページに、競馬界の「セックス・スキャンダル」のどぎつい見出しが踊っていようとも、競馬記者は断固その話題には沈黙を守り、冷静にその週の出走馬(問題の調教師の馬も含めて)を伝え、彼の私生活の問題には礼儀を守って触れない。この抑制は見事だが、想定外ではない。事実わたしは、競馬の礼儀が最後まで保たれ、競馬記者がスキャンダル騒ぎに加わるか加わらないか、友人相手に賭けをして勝った。(競馬の調査中、人びとのマナーにかんするわたしの賭けの勝率は、馬券の勝率よりもずっとよかった。)競馬場公認の人類学者であるわたしに目をつけた主要な新聞が、スキャンダルへのコメントを求めるようになると、わたしは礼儀を重んじて丁重に断った。いまだにスキャンダルの渦中にいた人びとの名前を口に出す気になれそうもない。

最後に、最も驚くべきこととして、競馬場というおよそ礼儀を期待できない場で、礼儀が守られていることを指摘したい。競馬に来る人びとは、他の場面では、喧嘩好きのサッカーのサポーターであったり、土曜の夜に飲んで騒ぐ連中である。暴力、無秩序、泥酔、フーリガンなどの調査をとおして、わたしは彼らを知りすぎるほど知っている。競馬場では、その同じ若い男性たちは活気に溢れてはいるが、他のスポーツや人の集まる場所で見せるような闘争的で反社会的な傾向を示すことはない。

競馬場での彼らの礼儀正しいふるまいは、暴力や無秩序の原因について一般的に信じられていることの反証であり、若い男性が群がって賭けをし、興奮の渦巻くスポーツの場で大量のアルコールを飲んでも、喧嘩を始めたりトラブルを引き起こしたりすることはないという証拠を提供してくれる。競馬場で彼らはたいそう騒がしくこれ見よがしかもしれない。だが攻撃的ではない。というより行儀がよいのだ。女性のためにドアを開け、「どうぞ」「ありがとう」を言い、酔ってふらつき人にぶつかればきちんと謝る。

彼らにインタビューをしたとき、競馬場での行儀のよさが、サッカーの試合や土曜の夜のどんちゃん騒ぎとは全然違うことを、彼らは進んで認めた。だがその理由をうまく説明することはできず「競馬場でトラブルを起こさないのは常識ですよね」とか「それが決まりでしょ?」と言うのみだった。言い換えれば、誰もが本能的に従う不文律が存在しているということである。これは主に期待の問題であるとわたしには思われる。若い男性が責任ある、礼儀正しいおとなとして扱われるところでは、彼らは一般にそのような人間としてふるまう。子ども、犯罪者、野獣のように扱われれば、彼らもまたそのように行動するのである。

嘆き

競馬の世界は優しく光に満ちた場所だと読者が思わないように、競馬に行く人びとにも不満や不機嫌の種があり、その点では騎手、調教師、役員なども同様だと言っておきたい。イギリス人が好むところの、イーヨーふうの静かな嘆き方は、競馬場でもよく見られる。そして競馬レースをめぐる苛立ちや不満の表し方の決まりは、この本の始めのほうで述べた天候をめぐる「嘆きの儀式」とほぼ同じである。

不平の種はさまざまだが、ここでも天候がしばしば不満のもとである。とくに競馬では天候がコンディション（ダートや芝の状態）を左右し、普通ならメインレースで確実に勝つはずだった馬のチャンスを台無しにすることがある。皆、天候を嘆くが、正常な天気のヒエラルキーはここでは必ずしも当てはまらない。柔らかい土が得意な馬をもつ人びとは雨と同じくらい陽射しも歓迎しないからである。

天候のほかにも、競馬に来る人びとはそれぞれ嘆きの種をもっている。賭けた人は気に入らないオッズ、貪欲なブックメーカー、無能な騎手、信じられない馬ののろさを嘆き、騎手は裁決委員の「無意味な」質問、調教師や鈍足馬の所有者の不条理な期待を互いにそっと嘆く。（なかでわたしが耳にした傑作は、「先頭馬集団に追いつけと言われたんだ。冗談じゃない。葉書でも出す方が早いです、と答えたよ」）馬主はけちけちした賞金と、そのために払わねばならない法外な謝礼などなどを嘆く。誰もが、記者たちでさえ、競馬の運営団体であるジョッキー・クラブや、英国競馬協会（ＢＨＡ）について嘆く。

また儀式的慨嘆の対象には流行りすたりがあって、わたしが競馬族の調査をしていた時期に好まれた嘆きは「ダービーには昔の雰囲気がなくなった」であった。この種の懐旧的嘆きはイギリス人の典型的慨嘆で、年寄りや保守主義者にかぎられたものではない。わたしが記憶する例はグラストンベリー・フェスティバル〔野外ロックフェスティバル〕で見た看板で、「昔のフェスティバルはよかったと思う人、ここに並んでください」とあった。

決まりによって、対象が何であろうと、こうした嘆きの会話はどれも同じようなかたちをとる。そこに必要なものは、悪の原因について、またBHA（ないし誰かが）それにどう対処すべきか（というより、良識があったらもう一〇年も前に対処するべきであったのに）についてのかたちばかりの意見の不一致である。だが同時に決まりによって、問題となっている事柄にかんして熱心に頷きあったり、熱烈な同意を示すことも必要とされている。細かい点についての意見の、取るに足らない不一致は、会話を進めるうえで必要だが、原則的なコンセンサスが儀式の中心に存在している。こうして共有する価値観を表現し確認することをとおして、嘆きの会話は競馬の常連同士の絆と連帯を強める。

俎上の問題について実際的な解決策を提示することは（実験的にわたしは何度かそれをやってみたのだが）話の結末をつけてしまう点で、嘆きの相互治癒的機能を損なう。したがって許されない（わたしの口出しは冷ややかに受け取られるか、ジョークとして一笑されるかであった）。理性や実践性という要素を導入することは、嘆きの儀式の連帯効果にマイナスになるので、禁物なのだ。ここでも作法が論理に優先される。というより、ここでは異なる種類の論理が適用される。儀式の参加者は問題の解決策を与えられることを望まず、嘆くことを楽しんでいる。であるから、理にかなったアドバイスが禁止されるのは、理にかなったことなのである。

もちろん慨嘆はイギリス人にかぎった行為ではない。ウディ・アレンはかつてノーム・チョムスキーに答えて、「言語は生得のものかもしれないが、泣くことは習得する」と言った。本当は泣きも愚痴も生得のもの、少なくとも普遍的なものである。だが天候の話と競馬場での嘆きの儀式には、明らかにイギリス的なものがある。それは不機嫌で無感動なストイシズムともいうべきもので、物ごとの不満足な状態を、それが改善されることを期待せず、また改善の手段を見つけようとはせず、諦観に身を委ねた際限ない慨嘆である。イギリス人は革命を起こすかわりに風刺を身につけたと（あるいはそのような趣旨のことを）誰かが言ったと、この本の前のほうの章で述べた。イギリス人は痛烈な、時には機知に溢れた不満を口にするが、実際には何の手立ても講じない。

レースのあとの反省

レースが終わるたびに、調教師、馬主をはじめ着外の（四着以下の）馬の「関係者たち」は反省会を開き、レースを仔細に分析し敗因を究明する。

このような話し合いは、負けたのは馬が速くないからではないという暗黙の了解に支配されている。二、三の反省会を立ち聞きして（たいそうおもしろい経験でお勧めである）耳に入るのは、馬が負けたのは籤運が悪かったから、厩舎で落ち着けなかったから、休憩をとりそこねたから、囲まれたから、ぶつかったから、コースの状態が悪かったから、急な曲がり角に対応しそこねて曲がり方が膨らんだから、レース経験が足りなかったから、レースが多すぎて疲労したから、あの隙間に入ったらよかったのに、外側を行くべきだったのに、明るいところに出るのが早すぎた、もっと早くから走らせればよかった、一マイル走らせてみればよかった、遮眼革（ブリンカー）つきの頭巾を被らせ、スタミナを蓄えれば、次に出るときは向上して、なかなか立派にやるでしょうよ。

聞きながら思わずにやにやしてしまいそうだが、絶対にしてならないのは、ほかの一三頭のほうが優れていたから、二〇馬身の差で負けても不思議はなかったなどと仄めかすことである。

反省会の決まりによって、着外の馬の騎手は決勝点を通過する前に、馬主のために反省会でのスピーチの用意を、頭のなかで始める必要がある（明らかに見込みのない馬の場合には、もっと早くから。ある騎手から聞いたところでは「先週乗った馬の調教師は、その前の晩にわたしの言うべきことを教えてくれましたよ」）。騎手は調教師にたいしては、率直な忌憚のない意見を言うかもしれないが、馬主に向けてはもっと楽観的な表現にうまく変える。脱鞍所に戻ったとき息を切らせた騎手は調教師に「どうしようもなくのろい馬だ！」と言うにしても、馬主が加わると「よくがんばりましたよ。とても根性のある馬です。もっと距離があるほうが向いているかもしれません」となる。

こうした礼儀正しい表現には利己心という要素がある。馬の能力のなさをあからさまに言えば、馬主が「駄目馬」を売るか、別の調教師につける可能性があり、その結果馬や調教料を失うからである。しかし調教師の長期的利益のためには勝てない馬で厩舎を一杯にしておかないほうがよい。だから調教師は反省会の楽天主義に浸りつつ、馬主同様に、自分を騙している。反省会の会話には常にいくらかの丁重な馴れ合いがあり、馬主と調教師は、馬が厩舎で落ち着けなかった、レースのペースが速すぎた、遅すぎた、ダートが柔らかすぎた、硬すぎた、春先のホルモンの作用で急激な気分の上下の影響を受けた、不当にもハンデがあった、阻止された、などなどと互いを納得させようと企むのである。

反省会の礼儀正しい楽天主義は、馬主に向かって彼のもち馬をこき下ろしたり、表立って馬をけなすことさえ無礼であるという、一般的ルールの一部である。新聞や放送で自分の馬を露骨にけなした競馬記者や放送記者に、憤慨した馬主が電話で激しく抗議することはよくある。だから記者のみならず馬主に聞こえるところでは、丁重な外交辞令的婉曲表現を用いる。馬主にも世間の人にも、馬が「本物ではない」（ひどい侮蔑である）とは言わず「やや癖がある」と言う。誰もが本当の意味は承知している。（どの競馬ファンもこうした婉曲表現の辞書を頭のなかにもっており、やむを得ない必要に迫られれば本当の意味を教えてくれる。）だが名誉は保たれ、体面は救われる。喜ばしいイギリス的偽善がここにも見られる。

金の話はタブー

金銭への関心は競馬のどの部分にも浸透しているが、それを口にするのは——少なくとも直接的にズバリと言うことは、適切ではない。

この点でアイルランドとの比較がおもしろい。それはまず標識から始まる。ベッティング・リング〔賭ける馬を決めるための下見の場所〕はアイルランドではベッティング・リングと呼ばれる。イングランドでは「タターソールズ」〔もともと馬市場の呼び名〕とか、「ゴードン・エンクロージャー」〔下見所を含むゴール手前までのエリア」のような、色のつかない呼び名が当てられている。アイルランドでは「会社接待席」にははっきりと「会社接待」という標識があるが、イングランドではビジネス的要素は隠されて、ただの座席番号や特定の部屋などに導く控えめな印があるだけである。アイルランドではスポンサーの派手はでしいロゴが下見所の内側の壁をぐるりととり巻いている。イングランドでは下見所は神聖な領域で、商売関連の恥知らずな広告をそこに出すのは無作法で不適切なことである。

お金をめぐるイギリス的こだわりは会話のルールにも表われている。アイルランドの競馬ファンが相手の賭けがうまく行ったかを訊くのに「儲かりましたか？」と無骨に質問するのにたいして、イングランドの競馬ファンは「勝ち馬がいましたか？」と訊く。どちらの国でも、レースの結果は騎手が「後検量」を受け、検量委員がレース前の「前検量」以後に体重の増減がないかをチェックするまでは決して公表されない。だがアイルランドの競馬場ではマイクがレース結果とともに「勝ち馬はオーライ」つまり勝ち馬に賭けた人の金は保証されているということを告げる。それに相当するイングランドの知らせ方は、婉曲表現で「後検量済み、後検量済み」と単調に告げるだけである。

お金の話がタブーとされるイングランドでさえ、競馬の常連が自分たちの賞金を声高に語ることは許されている。というのも競馬で勝った金は「本物の金」ではなく、つまり住宅ローンの返済やガス料金の支払ではなく、気まぐれや贅沢（シャンパン、子どもたちへの高級なアイスクリーム、新しい帽子やドレスのような）のために使うという一般的な了解があるからである。

しかし競馬場では、その他の金の話は（「ビジネス」も含めて）不文律によって厳しく禁じられている。そして驚くべきは、ビジネスの話が当然出るはずの「会社接待席」でことにそれが顕著である。

「スーツ着用」（企業関係の競馬の常連がそう呼ばれている）のどのグループも金銭の話はご法度というルールを順守している。はっきり言われないまでも顧客ないし潜在的顧客は、競馬場での一日を楽しむために招待されているので、ビジネス関連の話を聞かされたり、（さらなるルール違反として）何らかの売りこみをされたりすべきではないことが了解されている。

　もちろんこれは非公式の不文律である。だが競馬場の「スーツ組」についてわたしが一年を費やした観察によれば、あらゆる会社関係のパーティでそのルールは守られていた（この調査のために、競馬場での多くの顧客接待ランチやパーティに出たので、ＳＩＲＣでは、「ケイトの押しかけプロジェクト」と揶揄されていた）。わたしの質問に答えて「スーツ組」は、確かに、競馬場では「店の話」（彼らは「金銭の話」という表現さえ使わなかった）をするべきではないという暗黙の了解がありますね、と言った。接待者側の二、三人はタブーをやや修正して、時には「店の話」になることもあります、と言った。しかしそのような話題が顧客のほうからもち出され「弾みがついた」ときだけです。話の腰を折ったり話題を変えたりしては失礼な場合にかぎられます。たとえ顧客が新製品とか新たなサービスについて訊きたがっても、接待者側の人間は長談義を避け、相手の注意が少しでも薄れるきざしに敏感に反応して、次のレースではどの馬が勝つだろうかという話にすぐさま切りかえなくてはいけません。

　わたしがインタビューした「スーツ組」は、タブーが厳しい抑制を課すにしても、競馬場での会社接待は、ビジネス・チャンスやビジネスの関係を保持することの妨げにはならないと主張した。その逆で彼らが強調したのは、タブーのおかげで接待側と招待された側が互いをよく知り、緊密でより友好的な関係を築くことができ、それは結局ビジネスに有用だということだった。接待という「投資」にたいする見返りという、何らかの確実な証拠を示すわけではない。あとになってわたしが目にしたある調査は、競馬でのこの例が接待にかんして典型的であることを示している。つまりイギリスの圧倒的多数の企業は、接待にかけた費用の成果をどのような系統だった方法によってもはかることはしていない（また明言こそしていないが、わたしの印象ではその問題について質問を受けた人びとは、あまり詳しく話すことにやや抵抗があるようだった）。

やり方の是非は別として、接待側の人間が言うには「競馬と仲間を楽しんでもらうために招くのです。くだらない商売の話なんぞもち出したら台無しです。取引きにはそのための時と場所がある。競馬場はその場ではありません」。こう話す経営者は「セールス」とか「取引き」ということばを発するとき、不快げに口を少し歪めた。そこでわたしはメアリー・ダグラスを思い出したが、環境汚染についての著書のなかで、彼女は「汚物」を「場違いなところにあるもの」と定義している。たとえば食べ物や靴はそれ自体汚くはない。だがネクタイに飛び散った食べ物や晩餐のテーブルに置かれた靴は汚い。イギリス人のあいだでは、金銭の話に適した時と場所があり、競馬場のような場違いな場所では「セールス」や「取引き」といった遠まわしの表現でさえ厭わしく、思わず顔をしかめてしまうのだ。

その後わたしはイギリス文化のなかで、金銭の話に適しているとみなされる時と場所がきわめて少ないこと、適していると思われる状況においてさえ、神経質な反応や困惑が一般に見られることに気づくようになった。正直に言えばわたし自身お金の話にかんしておそろしくイギリス的である。彼らの過敏さを笑うことはできても、お金の話というタブーを破るのは容易ではない。したがってこの問題をめぐるインタビューでは、不運な「スーツ組」と同様、わたしも決まりの悪い思いをした。

競馬場での会話に見るイングリッシュネス

競馬場は、そこで見られる文化的寛解と文化的強調のために、イギリス国民性の考察にとってきわめて豊かな資源である。

まず逸脱。紹介の決まりはこれまでに述べたイギリス人の抑制と、彼らが付き合いを始めるさいに必要とする支えや潤滑油を今一度際立たせる。イギリス人は生来遠慮深く非社交的だとよく言われるが、そうではなく、社交下手で内気ですぐにまごつくのだ。はっきりとしたルールがあって、始めの決まったせりふや、出馬表のような小道具があれば、彼らは互いに話しかけることもできる。(ここまで書いて思いついたことだが「組織された」趣味、クラブ、スポーツなどにたいするイギリス人の熱中――しばしば注目されながら納得のゆくような説明が与えられていない現象――もまたこの種の潤滑油の必要とかかわりがあるのかもしれない。)

競馬通いをする人びとの異例の社交性は、イギリス的慣習からのイギリス的逸脱の一例だが、謙遜と礼儀は「主流文化の」拘束を増幅し誇張している。卑下と慇懃さはともにここまでの章のテーマとして登場したが、競馬を扱ったこの章では、それが極端にまで拡大されたかたちで示された。いうなれば「民族衣装の盛装にも匹敵する行動」あるいは戯画化されたイングリッシュネスである。

競馬場での作法が要求する謙遜と礼儀は極端と言えるほどだが、それはきわめて非イギリス的な抑制の解除によって中和されている。そのふたつがあいまって、最も好ましいイギリス人像ができあがる。つまり競馬場でイギリス人はいつものぎごちなさや不器用さを脱ぎ捨てるが、正反対に作法を無視し攻撃的になったりはしない。通常イギリス人はこのふたつの、どちらも好ましくない態度のあいだを行き来している。だが競馬場では、どういうわけか、抑制を緩めつつよいマナーを保っている。「どういうわけか」と書くのは、このバランスのとれた行動のメカニズムを、わたしがまだ完全には理解していないためである。少なくとも満足のゆくかたちで説明できていない。とはいえ、ネオ・ピューリタン〔消費文化の抑制のための規制を支持する人びと〕の怒りに触れようとも、アルコールも賭博も競馬場では立派なふるまいを促す要素である。

謙遜にかんしては、競馬場での会話がイングリッシュネスを論じるさいに生じる混乱を解明してくれる。上に示した例から、イギリス人の謙遜は「真の」「混じり気のない」謙遜ではないこと、自分には何も特別なものがなく、いかなる称賛にも値しない存在だという確信から生まれた謙遜とは違うことは明らかである。「イギリス的謙遜」の実態は、彼らの生まれつきの謙虚さ、自己主張のなさではなく、彼らが謙遜にかんして守る明白なルールである。そのルールに従って、彼らは謙虚を装い、褒められれば心では自分を誇り自分に満足していようとも、肩をすくめたり、卑下的ジョークを口にしてそれをかわす。礼儀はもっとわかりやすい。誰しも[3]礼儀とは自分の素の気持ちがどうであれ、ルールを守ってよいマナーを保つことだと心得ている。

3　文化的ルールとパーソナリティの特徴とを混同している二、三の心理学者は別である。

嘆くときの決まりは（またしても）無意味な泣きごとを言いたがるイギリス人の性癖をクローズアップする。彼らが嘆くとき、現実的な解決を示すのはご法度で、嘆きが何らかの有効な行動に結びつくことは決してない。イギリス人はストイックで不平を洩らさないと言われるが、それは違う。彼らは始終不平を言っている。不満の対象にそれをぶつけないだけである。だが社会的、心理的見地からは、嘆きの儀式は無意味ではない。彼らはイーヨー的に嘆くことを心から楽しんでおり、「細部は不一致、原則では一致」という決まりによって、嘆きあいは連帯感を強めるからである。集団的不満に浸るときほど、イギリス人が互いに心地よく結びつき調和しあうことはない。

レース後の反省会には、礼儀正しい偽善という、繰り返し見てきた現象が見られるが、この場合には巧妙な話し方をともなっている。相手に不快感を与えたり、自分の落ち度を認めたりしないために、工夫を凝らした間接表現、気の利いた慰め、巧妙な言い訳、言い逃れなどが繰り出される。「表向きの平等主義」の偽善と同様、これは意図的な騙しではなく、いわば馴れ合いの集団的自己欺瞞で、イギリス人はこれにかけては格別の能力をもっている。

競馬場で金の話がタブーであるという事実は、パブにかんする章で述べた現象のもうひとつの例である。イングリッシュネスの「文法」のなかに、この特徴を含めるためにはさらなる証拠が必要だが、確かに注目すべき点ではある。

競馬場での会話から見えてくるほかの特徴――社会的抑制／困惑、社交を円滑にする小道具の使用、謙遜（のふり）、ユーモア、イーヨー的嘆きと偽善的礼儀正しさなど――はイングリッシュネスの「文法」に含まれるべき有力候補に思われてきた。だが客観的に判断するために、より多くのデータを得るまでは結論を保留したい。

訳者あとがき

イギリスらしさ、イギリス文化の特性、イギリス人の言動の特徴、イギリス国民性、それらを包括的に表すことばとして「イングリッシュネス」を邦題に選んだ。原書は Kate Fox, *Watching the English: The Hidden Rules of English Behavior*、本書は前半の大部分を訳出したものである。初版は二〇〇四年、一〇年後の二〇一四年にアメリカ人読者に向けた増補版（かなり大幅な増補がおこなわれている）が出た。本訳書は増補版に基づいている。

著者ケイト・フォックスは社会人類学者。現在、オックスフォードを拠点とする社会問題調査センター（SIRC）の共同ディレクター、および文化研究所（Institute for Cultural Research）の研究員である。諸種の社会調査に携わるかたわら講演やシンポジウムへの参加、テレビ出演も多く、ファッションモデルのような容姿とあいまって学者タレントとして知名度が高い。

この本は、調査を通して得たデータや、グループに自ら参加しつつ、メンバーの行動を観察するいわゆる「参与観察」の結果を駆使して、イギリス人の言動の「ルール」を明らかにすることを目的としている。人類学者の仕事は観察からルールを導き出すことだと、著者は冒頭の「日常生活の人類学」で繰り返し述べている。

未開民族の研究のようないわば人類学の王道においても、自分のような「ポップ人類学」でもそれは変わらないのだという。

その結果、原著ではうるさいほど「ルール」ということばが登場している。紹介のルール、ユーモアのルール、パブでの注文のルールなどはわかるが、名乗らないルール、ぎごちなさというルールというような場合には、名乗らないのが普通、ぎごちないのが普通という意味である。つまり交通ルールのように守らなければ罰せられるという意味のルールではなく、特定の状況下で一〇人のイギリス人のうち八、九人はこうふるまう、という意味においてのルールなので、翻訳ではほとんどの場合、ルールということばを省いた。

イギリス人の態度やふるまいの特徴――それをイギリス国民性、あるいはステレオタイプと言い換えてもよいが――にかんしては、すでに日本の読者のなかにもある程度の知識があるのではないだろうか。礼儀正しさ、打ちとけにくさ、あるいはフェア・プレイ、ユーモア、寛容、階級意識などをはじめ、イギリス人のステレオタイプを構成する要素はあらまし知られている。本書はそれを根本から覆したり、それにかわる新しいイギリス人像を提示したりするわけではない。とすれば、何を今さらわかりきったことを、という反応があっても当然だろう。実はわたし自身そんなふうに感じていた。本を求めたものの、開かずに書棚に置いてあったのだが、あるとき何気なくぱらぱらと頁をめくるとおもしろくて引きこまれた。

そのおもしろさはイギリス国民性のさまざまな特質が、どのような場面でどのような形で発揮されるか、その具体的な叙述にある。ステレオタイプにかかわる概念が、豊富な例で肉付けされ、データで裏付けされて説得力が生まれている。イギリス文学を専攻した者として、イギリスでの滞在経験やイギリス人と交流はあったが、この本を読むうちに、そうか、そういうことだったのか、と一度ならず目から鱗が落ちる思いをした。

ひとつ例を挙げるなら「グルーミング・トーク」の最後の、チャンドラーの小説のタイトルを借りた「長い(ロング)お別れ(グッドバイ)」。イギリス人をうちに招くと、帰り際玄関でなんとなく「ぐずぐずしている」という印象は以前からあった。今日はありがとう、とてもおいしかった、今度はうちに来てください、などと繰り返しながらなかなかドアを開けない。促すようにドアを開けて送り出していたのだが、イギリス人の「ルール」に照らせば、なんというマナー違反であったことか。

ケンブリッジ滞在中のある冬、イギリス人夫婦に数人（ほとんどがイギリス人だった）がランチに招かれたことがあった。このときのグッバイはことに長かった。ようやくドアが開き、じっとりと重い氷嚢のような空気が押し寄せてきても、まだ別れの挨拶が終わらない。客たちは立ち去りがたく、ホストの夫婦は別れがたい様子で、延々とことばを交わしている。この人たちはもっと一緒にいたいのだろうか。わたしはじりじりした。下宿は目と鼻の先にある。早く暖かい屋内に入りたい、トイレにも行きたい。「うちにいらっしゃいません？最後に日本のお茶はいかが？」思わずそう提案したとき、皆の顔に浮かんだ驚き、当惑、困惑を見て、自分が何かとんでもないことを口にしたのだと悟ったが、この本を読んで納得した。

名残り惜しいわけではないのだった。客は早く帰りたいし、招いた側は早く帰ってもらいたい。しかしそんな本音はおくびにも出さず、互いに別れがたい様子を演じる。それがイギリス人の決まりだということをこの本から初めて知った。

そのような失敗をしがちな外国人にとって、本書には「イギリス人とつきあう方法」のマニュアルとしての価値がある。ことにフランクで合理的で熱意や積極性を好むアメリカ人にとって、イギリス人は謎の生き物である。ふざけているのか本気なのか、なぜ率直にものを言わないのか、とアメリカ人は戸惑う。冒頭に述べたように第二版はアメリカ人読者を対象としているが、序文によれば、この本がイギリス人のふるまいを理解するうえでいかに役に立ったかを伝えるアメリカ人読者からの手紙が多数著者に届いているという。上層中産階級のイギリス人青年をボーイフレンドにもつアメリカ人女性が、彼の母親との食事の席で、豆（グリンピース）を、原書後半の「食べ物」の章に示された「正しい」（階級を気にする人びとにとって）やり方で口に運んだおかげで、たちどころに受け入れられたというエピソードが一例として紹介されている。

日本人にとってもマニュアルになり得る本である。第二次世界大戦後、われわれが接してきた英語文化は、その大部分がアメリカ文化であったことに、本書を読むとあらためて気づく。

われわれの価値観やふるまい方も知らぬうちにアメリカナイズされている。それが悪いとか、イギリス式が正しいというのでは決してないが、文化やその基底にある価値観の多様性を知ることは無駄ではなく、知った上で選ぶのは各人の自由である。

しかしこの本はイギリス人の作法や習慣についての単なるガイドブックではない。豆の食べ方、招かれた家を辞去するさいの決まり、など不合理で不自由でときには滑稽でさえある数々のマナーはそれ自体おもしろく、またあらゆる場面に登場する階級間の微妙な差異はもの珍しいが、読者はそのような情報に刺激されつつ、作法、ジョーク、グルーミング・トークといった表象の根底にあるイギリス的人間観とも呼ぶべきものに目を向けるよう誘われる。

その意味で、たとえばイギリス人のユーモアを論じた第三章のなかの、二〇〇五年のロンドンのテロのさいのイギリス人のふるまい、とりわけ外国の善意の人びとからから寄せられたメッセージにたいするイギリス人の反応が興味深かった。災難の規模も性格も異なるが、東日本大震災のあと、日本のメディアに溢れた被災地の人びとへの同情と励ましのことば――絆、ひとりじゃない、被害者に寄り添うなどいささか型にはまったフレーズ――が思い出された。

あろうことか、イギリス人は慰めや励ましのことばを茶化し、揶揄したという。あるいはストレートにやめてくれ、そういうたわごとはいい加減にしてくれ、と言った。

著者はこの現象を「むきになる」ことをよしとしないイギリス人の態度の実例としている。ちなみに「むきになる」に相当する原著の単語は"Earnest"。第三章の小見出し「むきにならないこと」は原著では"The Importance of Not Being Ernest Rule"でこれはもちろんオスカー・ワイルドの"The Importance of Being Earnest"をもじっている。邦題は「真面目が肝心」。"Earnest"ということばの意味範囲のなかで、本書では「くそ真面目＝むきになる」という部分に焦点が当てられている。

むきにならず、正面から受け止めて熱くなり声高に主張するのではなく、ほとんど反射的にジョークを発しつつ、距離を保って対象を眺める。確かにそのようなイングリシュネスの事例にぴったりである。しかしこれまでイギリス文学、ことにイギリス小説を読むなかで、人間性にたいするイギリス的なスタンスを感じてきた者として、この「やめてくれ」という反応に、人間性にたいする醒めた目といおうか、理想主義的ではない地に足のついた人間観を感じずにはいられなかった。

つまりいくらがんばっても人間は所詮利己的な生き物であって、どれほど努力しようと究極的には相手に寄り添ったり、相手と同化したりはできないのだという、現実的経験主義的な人間観がイングリッシュネスの根底にある、とわたしには感じられる。そしてひとたびそのような人間観をイングリッシュネスの基底に据えると、どう見ても褒められた存在ではない人間同士が攻撃性をむき出しにせず、主張をユーモアというオブラートに包み、節度を保って、非合理的であっても礼儀を優先させる、そういう一連の対処法に納得がゆく。

本書で訳出したのは前半のみなので、簡単に後半に触れておこう。原書では前半に「会話のコード」、後半に「ふるまいのコード」という見出しをつけている。しかし会話とふるまいはそれほど整然と分けられるものではなく、前半はむしろ基礎編の趣がある。グルーミング・トークやユーモアはイギリス人の言語行動の基盤であり、パブと競馬場はイングリッシュネスが集約された場である。言語と階級の章も基礎的知識を提供している。

後半はさらに多様な場の多様な条件のもとで、イングリッシュネスがどのように発揮されるかを、応用編ともいうべきかたちで示している。路上で、交通機関で、職場、家庭、学校でのイギリス人のふるまい、衣食住と階級、恋愛と結婚、冠婚葬祭などに発揮されるイングリッシュネスのさまざまな姿が描かれている。他国のものとくらべてイギリスの広告やコマーシャルにはどのような特色があるか、アメリカとイギリスの連続テレビドラマはどのように違うかなど、比較文化的話題も提供されている。

本書を知ったのは、長年の友人清水美樹子さんのご夫君、故清水知久氏を通してだった。初版が出て間もないころ、おもしろい本です、という伝言と本のタイトルを美樹子さんから渡された。すぐに読んで感謝と感想をお伝えしなかったことが悔やまれる。その後東京女子大学同窓会にかかわる翻訳実習のグループでテキストに使ったところ、随所で話に花が咲いた。この翻訳にはそのときの受講者とのやりとりから受けた多くの刺激が活かされている。ある段階で、初版と増補版とを突き合わせる必要が生じ、当時の受講者杉山とも子さんにその作業をお願いした。

刊行にさいしてはみすず書房の成相雅子氏にお世話になった。訳文を綿密に読み、随所で適切な指摘をしてくださったおかげで、訳者の不注意や情報不足がおおいに補われた。以上に挙げた方々、またイングリッシュネスをめぐってわたしが振りまく話題に、（おそらくはまたかと思いつつ）、つき合ってくれた友人たちにお礼を申し上げる。

なお、共訳者の分担は第三章までが北條、第四章以降は香川である。最後に北條が全篇を通して文体の調和などをはかり、香川が索引を作成した。

イングリッシュネスのおもしろさが読者に届きますように。

二〇一七年十月

北條　文緒

ケイト・フォックス
イングリッシュネス
英国人のふるまいのルール
北條文緒・香川由紀子訳

2017 年 11 月 10 日　第 1 刷発行
2021 年 1 月 22 日　第 4 刷発行

発行所 株式会社 みすず書房
〒 113-0033 東京都文京区本郷 2 丁目 20-7
電話 03-3814-0131(営業) 03-3815-9181(編集)
www.msz.co.jp

本文組版 プログレス
本文印刷・製本所 中央精版印刷
扉・表紙・カバー印刷所 リヒトプランニング
装丁 安藤剛史

ISBN 978-4-622-08660-4
[イングリッシュネス]

著者略歴

(Kate Fox)

英国の社会人類学者．アメリカ，フランス，アイルランドで少女時代を過ごし，16歳で帰国．著名な人類学者の父，ロビン・フォックスから手ほどきを受け，幼いころから人類学の素養を授けられる．ケンブリッジ大学で人類学・哲学の学位を取得し，1989年，MCMリサーチの共同ディレクター，現在はオックスフォードを拠点とする社会問題調査センター（SIRC）の共同ディレクターを務める．人間行動や社会的相互作用に関する研究に定評があり，諸種の社会調査に携わるかたわら，講演やシンポジウムへの参加，テレビ出演など幅広く活躍．著書に，*Pubwatching with Desmond Morris*, Sutton Pub Ltd, 1993（『イギリスPubウォッチング』デズモンド・モリスとの共著，林望訳，平凡社），*Passport to the Pub: The Tourists' Guide to Pub Etiquette*, The Do Not Press, 1996, *The Racing Tribe: Watching the Horsewatchers*, Metro Books, 1999などがある．

訳者略歴

北條文緒〈ほうじょう・ふみを〉 1935年東京に生まれる．1958年東京女子大学文学部英米文学科卒業．1961年一橋大学大学院社会学研究科修士課程修了．東京女子大学名誉教授．イギリス小説，翻訳研究専攻．英文学にかんする著書・編著のほかに，『ブルームズベリーふたたび』『猫の王国』（ともにエッセイ集，みすず書房），『翻訳と異文化』（みすず書房）．訳書に，E. M. フォースター『眺めのいい部屋』『永遠の命』，Q. ベル『回想のブルームズベリー』，S. ソンタグ『他者の苦痛へのまなざし』，A. ホワイト『五月の霜』，A. ホフマン『ローカル・ガールズ』（いずれもみすず書房）など．

香川由紀子〈かがわ・ゆきこ〉 1970年名古屋に生まれる．1993年東京女子大学現代文化学部言語文化学科卒業．2008年名古屋大学大学院国際言語文化研究科博士課程修了．日英比較文化，ジェンダー論，日本語教育．韓国淑明女子大学校助教授を経て，現在，名古屋大学非常勤講師，東京女子大学非常勤講師．論文「河合鞠子訳「ピーターパン物語」に見る日本少女文化」（日本児童文学学会中部支部『児童文学論叢』9号，2003），「イギリス小説に描かれた女性の手仕事—— Vanity Fair, Adam Bede, Middlemarch, The Mill on the Floss」（『東京女子大学紀要論集』61巻2号，2011），「近代における"fairy"の翻訳と受容—日本の人々の"fairy"受容におけるラフカディオ・ハーンの影響」（日本イギリス児童文学会『Tinker Bell』No. 60, 2015）他．

索　引

訳注は含まない.

マ

ヤ

ラ

ワ

参考文献

Austen, Jane（1813）: *Pride and Prejudice*. London, The Folio Society, 1975（ジェイン・オースティン『高慢と偏見』）

Bennett, Alan（1978）: *The Old Country*. London, Faber & Faber

Bourdieu, Pierre（1986）: 'The forms of capital'. in J. Richardson（ed.）*Handbook of Theory and Research for the Sociology of Education*. New York, Greenwood Press

Boswell, James（1791）: *The Life of Samuel Johnson*. London, Penguin, 2008（ジェイムズ・ボズウェル『サミュエル・ジョンソン伝 1・2・3』中野好之訳，みすず書房，1981・1982・1983）

Bryson, Bill（1995）: *Notes from a Small Island*. London, Doubleday（ビル・ブライソン『ビル・ブライソンのイギリス見て歩き』古川 修訳，中央公論社，1998）

Brown, P and Levinson, S. C.（1987）: *Politeness: Some Universals in Language Usage*. Cambridge, Cambridge University Press（ペネロピ・ブラウン／スティーヴン・C・レヴィンソン『ポライトネス――言語使用における，ある普遍現象』田中典子・斉藤早智子・津留崎 毅・鶴田庸子・日野壽憲・山下早代子 共訳，研究社，2011）

Cooper, Jilly（1979）: *Class: A View from Middle England*. London, Eyre Methuen（ジリー・クーパー『クラース――イギリス人の階級』渡部昇一訳，サンケイ出版，1984）

Crick, Bernard（ed.）（2001）: *Citizens: Towards a Citizenship Culture*, Oxford, Blackwell

Crick, Bernard（ed.）（1991）: *National Identities: The Constitution of the United Kingdom*, Oxford, Blackwell

Douglas, Mary（1966）: *Purity and Danger: An Analysis of Concepts of*

Pollution and Taboo. London, Routledge, 2002（メアリ・ダグラス『汚穢と禁忌』塚本利明訳，ちくま学芸文庫，2009）

Dunbar, Robin（1996）: *Grooming, Gossip and the Evolution of Language*. London Faber & Faber（ロビン・ダンバー『ことばの起源——猿の毛づくろい、人のゴシップ』（新装版）松浦俊輔・服部清美訳，青土社，2016）

Fox, Kate（1999）: *The Racing Tribe: Portrait of a British Subculture* New Brunswick, Transaction Publishers

Fox, Robin（1991）: *Encounter with Anthropology*. New Brunswick, Transaction Publishers

Fox, Robin（1980）: *The Red Lamp of Incest: An Enquiry Into the Origins of Mind and Society*. New York, Penguin

Jonson, Ben（1641）: *Timber: or, Discoveries*（ed.）G. B. Harrison. New York: Barnes & Noble, 1966

Kumar, Krishan（2003）: *The Making of English National Identity*. Cambridge, Cambridge University Press

Levi-Strauss, Claude（1955）: "The Structural Study of Myth: A Symposium", in *Structural Anthropology*. Basic Books, 1963（クロード・レヴィ＝ストロース『構造人類学』第 11 章「神話の構造」荒川幾男・生松敬三・川田順造・佐々木明・田島節夫 共訳，みすず書房，1972 所収）

Marshall Thomas, Elizabeth（1960）: *The Harmless People*. London, Secker & Warburg（エリザベス・マーシャル・トマス『ハームレス・ピープル——原始に生きるブッシュマン』荒井喬・辻井忠夫 共訳，海鳴社，1977）

Mikes, George（1946）: *How to be a Brit*. London, Penguin（ジョージ・ミケシュ『おかめ八もく英米拝見』岩崎民平訳，研究社出版，1958）

Miller, Geoffrey（2000）：*The Mating Mind*. London, Heinemann（ジェフリー・F・ミラー『恋人選びの心——性淘汰と人間性の進化 1・2』長谷川眞理子訳，岩波書店，2002）

Mitford, Nancy（ed.）（1956）: *Noblesse Oblige*. London, Hamish Hamilton

Morgan, John（1999）: *Debrett's New Guide to Etiquette & Modern Manners*. London, Headline

Noon, M. & Delbridge, R.（1993）: *News from behind my hand: Gossip in*

organizations. Organization Studies, 14

Orwell, George (1970): *Collected Essays, Journalism and Letters of George Orwell, Volume 2 : My Country Right or Left, 1940–1943*. London, Penguin (『オーウェル評論集 1　象を撃つ』「右であれ左であれ，わが祖国」川端康雄編，井上摩耶子・小野寺健他 共訳，平凡社ライブラリー，2009 所収)

Paxman, Jeremy (1998): *The English: A Portrait of a People*. London, Michael Joseph

Priestley, J. B. (1976): *English Humour*. London, William Heinemann (J・B・プリーストリー『英国のユーモア』小池滋・君島邦守 共訳，秀文インターナショナル，1982)

Renier, G. J. (1931): *The English: Are They Human?*. London, Williams & Norgate

Shaw, George Bernard (1916): *Pygmalion*. London, Penguin, 1998 (バーナード・ショー『ピグマリオン』)

Wilde, Oscar (1890): *The Picture of Dorian Gray*. London, Penguin, 2003 (『オスカー・ワイルド『ドリアン・グレイの肖像』)